100일 루틴, 인생을 바꾸는 힘

- 포기하지 않고 실천하는 10가지 방법

100일 루틴, 인생을 바꾸는 힘

– 포기하지 않고 실천하는 10가지 방법

발   행 | 2024년 8월 15일
저   자 | 이현주
펴낸이 | 한건희
펴낸곳 | 주식회사 부크크
출판사등록 | 2014.07.15.(제2014-16호)
주   소 | 서울특별시 금천구 가산디지털1로 119 SK트윈타워 A동 305호
전   화 | 1670-8316
이메일 | info@bookk.co.kr

ISBN | 979-11-410-9937-4

www.bookk.co.kr

100일 루틴,
인생을 바꾸는 힘

포기하지 않고 실천하는 10가지 방법

이현주 지음

BOOKK

| 차례 |

인생을 바꾸는 100일 루틴

지난 3년 동안 코칭 워크숍에서 만난 참가자들과 100일 챌린지를 진행해왔다. 100일 동안 목표를 실천하는 과정을 통해 많은 사람이 지속적인 실천에 어려움을 겪는 모습을 보았다. 바쁜 일상 속에서 자신을 위한 시간을 내어 목표를 향해 나아가는 일은 전혀 쉽지 않다.

또한, 숭실대학교 학생들과 함께 '숭실100일성공 챌린지'를 기획하고 3기까지 완수하면서 많은 학생이 중간에 멈추거나 실천력이 떨어지는 모습을 관찰했다. 이러한 경험을 통해 얻은 교훈을 바탕으로 100일 챌린지를 더욱 효과적으로 운영하기 위해 다양한 방법을 모색했다. 학생들은 챌린지에 참여하며 자신감을 얻고, 목표 설정 및 달성의 중요성을 깨달았다.

100일 챌린지를 기획할 때, 처음에는 참가자들에게 챌린지의 취지와 100일 동안 진행해야 하는 이유를 설명하며 참여를 독려했다. 참가 인원이 적을 때는 개인별 대면 설득이 가능했으나, 인원이 증가하면서 개별 설명이 어려운 상황도 발생했다. 그 과정에서 깨달은 점은 거의 모든 사람이 자신이 원하는 목표를 세우고 실천하여 삶을 가치 있게 만들고 성장시키고자 하는 의지가 있다. 이러한 의지를 바탕으로 참가자들을 동기 부여하고 챌린지의 중요성을 이해시키는 것이 핵심이었다.

중요한 통계 중 하나는 100일 챌린지 시작 전에 왜 100일 동안 해야 하는지, 실천력이 떨어질 때 어떻게 유지할 수 있는지 현실적인 대화를 나눈 참가자들이 100일 동안 실천율이 더 높았다는 것이다. 또한, 이러한 참가자들은 포기했다가도 다시 돌아와 실천하는 회복탄력성이 더 높았다. 이런 회복탄력성은 도전과 실패를 반복하며 성장하는 과정에서 매우 중요한 요소이다.

100일을 완수하고 챌린지를 종료하는 것이 아니라, 챌린지 경험에서 얻은 배움을 책으로 출간하거나 참가자가 다 같이 모여 자축하며 다음 챌린지를 기획하는 활동을 통해 지속적인 실천을 이어나가는 경우 자기 성장을 이루는 강력한 내재적 힘을 발휘할 수 있다. 이런 경험은 미래를 향한 지속적인 성장을 가능하게 하는 것이다. 또한, 챌린지 후 지속적인 성장을 위해 멘토링 프로그램을 도입하거나 정기적인 피드백 세션을 통해 목표 달성 과정을 지속해서 지원하는 것도 효과적인 것을 깨달았다.

한 참가자는 100일 챌린지를 통해 매일 아침 필사와 독서 노트 쓰기를 실천했다. 이 과정에서 그는 자신의 마인드에 변화를 가져왔고, 새로운 아이디어와 영감을 얻어 사업에서 괄목할 만한 성취를 이루기 시작했다. 이 아침 루틴은 그의 창의성과 문제 해결 능력을 높였으며, 그의 마인드 성장은 사업 전략과 실행에 직접적인 긍정적 영향을 미쳤다.

또 다른 참가자는 챌린지를 완료한 후 동료들과 함께 정기적인 스터디 모임을 만들어 지속적으로 학습하고 성장하는 문화를 조성했다. 각자의 경험과 인사이트를 공유하며, 공동의 목표를 설정하고 달성하기 위해 협력하고 있다. 이러한 지속적인 학습과 협력의 문화는 참가자들의 개인적 성장을 촉진했을 뿐만 아니라, 그들이 속한 커뮤니티 전체의 발전에 기여하고 있다.

나는 100일 동안 실천한 사람들의 감동적인 이야기를 매일 보고 있다. 나와 함께 100일 챌린지를 수행하지 않은 사람들도 동일한 결과를 얻을 수 있다는 확신이 있다. '100일 루틴: 포기하지 않고 꾸준히 실천하는 방법'은 단, 100일의 작은 실천이 가져오는 인생의 변화를 경험하기를 바라는 간절한 소망을 담고 있다. 이제 이 책을 통해 새로운 시작을 도모할 수 있는 강력한 동기를 얻기를 바란다.

이 책의 구성

이 책은 챌린지를 시작하기 전, 실행 중, 그리고 완료 후까지 모든 과정에서 실질적인 도움과 동기 부여를 제공하려는 나의 진심을 담고 있다. 각 장에서는 독자들이 100일의 루틴을 성공적으로 완수하고 지속적인 성장을 이룰 수 있도록 구체적이고 실용적인 조언을 제공한다.

© 이현주, 100일 루틴 성공 프로세스

1부. 왜 100일을 실천해야 하는가? 에서는 '100일 루틴 챌린지'를 시작하면서 '준비'하는 과정에 왜 100일이라는 기간이 중요한지와 어떤 변화가 일어나는지를 6개 심리 연구 이론을 바탕으로 설명한다. 먼저 심리 이론의 개념과 구성 요소 역할을 설명하고, 그 이론이 왜 중요한지, 어떤 상황에서 효과적인지 예시를 들어 이해를 돕는다. 마지막으로 그 이론이 100일 루틴의 성공에 어떻게 기여하는지를 구체적으로 설명한다.

2부. 100일 동안 실천을 유지하기 위한 10가지 방법에서는 '100일 루틴 챌린지'을 실천하는 동안 직면하게 될 다양한 어려움과 방해 요소들을 극복하는 방법을 다룬다. 여기에는 시간 관리, 의지력 강화, 목표 설정과 같은 현실적인 전략들이 포함되어 있으며, 실천을 포기하지 않고 100일을 완수할 수 있도록 돕기 위한 구체적인 조언들이 담겨 있다. 또한, 다양한 사례와 경험담을 통해 독자들이 실제 상황에서 적용할 수 있는 팁을 제공한다.

3부. 100일 후, 새로운 시작을 위한 여정에서는 '100일 루틴 챌린지'를 완수한 후, 유지하는 과정에 지속적인 성장을 이루는 방법을 제안한다. 이 장에서는 목표 달성 후의 성찰, 미래 계획 수립, 지속 가능한 변화 만들기 그리고 실패 후 다시 시작할 때로 나누어 성취감을 유지하는 방법 등에 대해 논의하며, 독자들이 챌린지 이후에도 꾸준히 발전할 수 있도록 방향을 제시한다. 또한, 성공적인 경험을 바탕으로 인생의 다른 영역에서도 긍정적인 변화를 끌어낼 수 있는 실질적인 조언을 제공한다.

이 책을 통해 독자들이 100일 루틴의 준비, 실천, 유지 과정을 성공적으로 수행하고, 그 경험을 바탕으로 더욱 성장할 수 있기를 진심으로 바란다.

1부.

왜 100일을 실천해야 하는가?

1부. 왜 100일을 실천해야 하는가?

〈 100일 루틴의 변화 〉

1장. 인생을 바꾸는 목표 설정의 힘

100일 동안 구체적인 목표를 설정하고,
꾸준히 점검하며 성과를 극대화한다.

2장. 나는 할 수 있다! 자기 효능감 높이기

100일 동안 작은 성공 경험을 쌓아 자신감을 얻고
더 큰 목표에 도전하게 한다.

3장. 작은 습관이 만드는 인생의 변화

100일 동안 반복적인 행동을 통해 새로운 습관을
만들어 삶에 긍정적인 변화를 가져온다.

4장. 유혹을 이기는 힘, 자제력과 의지력

100일 동안 유혹을 이겨내고 목표에 집중하여
장기적인 성과를 이루어낸다.

5장. 칭찬은 습관을 만든다! 긍정적 강화의 힘

100일 동안 긍정적 보상을 통해 행동을 지속하고
동기 부여를 유지하여 행동 변화를 유도한다.

6장. 변화는 지속될 때 의미가 있다!

100일 동안 변화 단계에 맞는 전략을 활용하여
목표를 달성하고 긍정적인 변화를 지속시킨다.

〈 심리학적 근거와 이론 〉

목표 설정 이론

명확하고 도전적인 목표 설정의 중요성과 성과에 미치는 영향을
연구, Edwin Locke와 Gary Latham (1990)

자기 효능감 이론

개인의 신념이 행동에 미치는 영향과 자기 효능감을 높이는
방법과 효과 연구, Albert Bandura (1977)

습관 형성 이론

새로운 습관을 형성하는 데 평균 66일이 소요된다는 연구 결과
발표, Phillippa Lally (2009)

자제력과 의지력 이론

자제력이 제한적인 자원이라는 것을 밝히고, 효과적으로 강화하는
방법을 제시, Roy Baumeister (1998)

긍정적 강화 이론

보상과 긍정적 피드백을 통해 행동을 강화하는 방법을 제시,
B.F. Skinner (1938)

지속적 변화 모델 이론

지속적 변화 모델 과정에서 심리적, 행동적 변화를 체계적으로
연구, James Prochaska와 Carlo DiClemente (1983)

한 참가자가 "왜 100일을 해야 할까요?"라고 묻자, 나는 미소 지으며 "100일은 목표를 완전히 내 것으로 만들기에 충분한 시간입니다. 30일은 새로운 습관을 형성하기에 짧지만, 100일이면 삶에 완전히 녹아들 수 있습니다."라고 답했다.

이 질문을 계기로, 나는 챌린지 시작 전 참가자들과 일대일 코칭 대화를 통해 100일이라는 기간과 그 변화에 관한 심리 연구 기반 설명을 제공하며 설득력을 높이고 실천 의지를 북돋웠다.

"저는 새로운 것에 도전할 때 '100번 룰'을 가지고 있습니다. 100번을 해보면 전문가가 된다는 믿음이죠."라며 가볍게 웃으며 내 경험을 나눴다. "어렸을 때부터 작은 도전을 100번씩 해보면서 익숙해지고 자신감이 생기는 것을 느꼈습니다. 그래서 100일이라는 숫자는 저에게 자연스럽게 의미 있는 시간이 되었죠."

참가자들의 관심을 끌기 위해 심리학 연구를 예로 들었다. "연구에 따르면, 새로운 행동을 완전히 습관으로 정착시키기 위해서는 66일에서 254일 정도가 걸린다고 합니다. 100일은 이 범위의 중간에 위치하여 새로운 습관을 형성하고 유지하는 데 이상적인 기간입니다. 이 기간에 우리는 반복적인 행동을 통해 자기 효능감을 키우고, 지속적인 자가 동기 부여를 촉진할 수 있습니다."

참가자들은 고개를 끄덕이며 100일 동안의 여정이 단순한 습관 형성이 아닌, 진정한 변화를 위한 과정임을 깨달았다. 이렇듯 100일의 도전은 단순한 숫자가 아닌, 우리 자신을 변화시키는 중요한 여정이 된다. 체계적인 설명을 들은 참가자들은 100일 루틴의 지속력과 자가 동기 부여에 대해 더 깊이 이해하고, 자신의 도전에 더욱 자신감을 가질 수 있게 되었다.

100일 동안의 지속적인 실천은 의미 있는 변화와 성과를 가져오는 데 핵심적인 기간이다. 100일 동안 꾸준히 실천하는 과정에서 개인은 자신의 한계를 넘어서고, 새로운 습관을 형성하며, 자기 효능감을 높이고 장기적으로 긍정적인 변화를 지속할 수 있는 기반을 마련해 준다. 단순히 "100일 동안 열심히 해보세요. 화이팅!"이라고 응원하기보다는, 변화의 근거를 다양한 심리학적 이론과 연구 결과를 통해 이해하는 것이 더 효과적이다. 여기서 어려운 심리학 내용을 전달하려는 것이 아니라, 누구나 쉽게 이해하고 스스로 동기를 부여할 수 있도록 심리 이론들을 살펴보고자 하는 것이다.

인생을 바꾸는 목표 설정의 힘
목표 설정 이론

목표 설정 이론(Goal Setting Theory)은 에드윈 로크(Edwin A. Locke)와 게리 라담(Gary P. Latham)에 의해 1990년에 개발된 매우 영향력 있는 이론이다. 이 이론의 핵심은 목표가 인간 행동에 미치는 중요한 영향력을 강조한다. 이들은 "**구체적이고 도전적인 목표를 설정하면 개인과 조직의 성과를 현저하게 향상하고, 명확하고 일관된 피드백은 개인의 동기 부여와 지속성을 크게 높인다**"고 주장한다.

이 이론은 목표의 명확성과 난이도가 성과에 긍정적인 영향을 미치며, 피드백이 제공될 때 그 효과가 더욱 극대화된다고 설명한다. 목표 설정 이론은 단순히 목표를 설정하는 것 이상의 의미를 가지며, 개인의 자기 효능감을 높이고 목표 달성을 위한 전략을 개발하는 데 중요한 영향을 미친다.

목표 설정 이론: 구성 요소 살펴보기

목표 설정 이론의 다섯 가지 주요 구성 요소를 자세히 살펴보면, 각 요소가 개인이나 조직이 목표를 달성하는 과정에서 필수적인 ·역할을 하는 것을 알 수 있다. 구체적이고 도전적인 목표, 피드백의 중요성, 목표 수용과 몰입, 적절한 도전 수준, 그리고 자기 효능감 같은 요소들로 구성되며, 이를 통해 명확하고 도전적인 목표를 설정함으로써 동기 부여와 성과를 극대화하는 방법을 나타낸다.

구체적이고 도전적인 목표 Specific and Challenging Goals

구체적인 목표는 목표 달성의 기준과 방법을 명확히 제시하여 목표 달성을 위한 방향성을 제공한다. 도전적인 목표는 적절한 긴장감을 제공하여 동기 부여를 강화한다. 너무 쉬운 목표는 동기 부여가 되지 않고, 지나치게 어려운 목표는 좌절감을 줄 수 있다. 목표가 구체적이고 도전적일수록 개인은 더 집중하여 노력한다. 이는 행동의 일관성을 높이고, 목표 달성을 위한 체계적인 접근을 가능하게 한다.

피드백의 중요성 Importance of Feedback

정기적인 피드백은 목표 달성 과정에서 필수적이다. 피드백은 진행 상황을 평가하고, 필요한 경우 목표나 전략을 조정할 기회를 제공한다. 이는 개인과 조직의 지속적인 개선과 성장을 가능하게한다. 정기적인 피드백은 목표 달성의 진행 상황을 명확히 하고 필요한 조치를 취할 수 있도록 도와준다. 또한, 피드백은 성취를 인정하고 동기를 부여하는 중요한 역할을 한다. 효과적인 피드백은의사소통을 개선하고, 성과를 극대화하는 데 기여한다.

목표 수용과 몰입 Goal Commitment and Involvement

목표 수용은 개인이 설정된 목표를 진정으로 받아들이고, 그를달성하기 위해 노력하려는 의지를 의미한다. 개인이 목표를 수용할때 목표 달성의 가능성은 높아진다. 또한, 목표가 도전적일수록 개인이 그 목표를 진정으로 수용하고, 자기 것으로 받아들일 때 더큰 동기 부여와 성과를 얻을 수 있다.

목표 몰입은 개인이 목표 달성에 필요한 활동과 과정에 적극적으로 참여하고, 이를 위해 노력하는 정도를 의미한다. 목표에 몰입할수록 개인은 목표 달성에 필요한 활동에 더 많은 시간을 투자하고, 더 집중하게 되어 성공 가능성을 높인다.

적절한 도전 수준 Appropriate Level of Challenge

목표는 너무 쉽지도, 너무 어렵지도 않은 적절한 도전 수준을가져야 한다. 적절한 도전 수준은 최적의 동기 부여를 제공한다.적절한 도전 수준의 목표는 개인의 능력을 최대한 발휘하게 하고,성과를 극대화한다. 이는 목표 설정 시 개인의 능력과 상황을 고려해야 함을 시사한다.

자기 효능감의 역할 Role of Self-Efficacy

자기 효능감은 목표 달성의 중요한 요소이다. 개인의 자기 효능감이 높을수록 더 높은 성과를 달성할 수 있다. 자기 효능감은 개인이 목표를 달성할 수 있다는 자신감을 가지게 하고, 어려운 목표에 도전할 용기를 준다. 이는 목표 설정과 달성 과정에서 자기 효능감을 높이는 전략이 필요함을 보여준다.

목표 설정 이론: 어떻게 적용할까?

목표 설정 이론을 통해 구체적이고 도전적인 목표를 세워 동기부여를 극대화할 수 있다. 목표는 명확하고 측정할 수 있고, 달성할 수 있는 것들로 설정하는 것이 중요하다. 매일 30분씩 운동하기라는 목표를 세우면, 이를 달성하기 위해 지속적 변화 모델을 활용하여 목표 달성 과정을 체계적으로 관리할 수 있다. 적용 예를 살펴보자.

자기 성장

구체적인 목표를 설정함으로써 개인은 자신의 성장과 발전을 체계적으로 관리할 수 있다. 예를 들어, "100일 동안 매일 1시간씩 새로운 기술 학습하기"와 같은 목표는 자기 계발을 촉진하고, 새로운 능력을 습득하는 데 도움을 준다. 목표를 달성하는 과정에서 개인은 자기 능력을 확인하고, 자신감을 얻어 더 큰 도전을 할 수 있게 된다. 이는 전반적인 개인 발전과 성취감을 증진하는 데 중요한 역할을 한다.

커리어 성장

직장에서 구체적인 목표를 설정하고, 지속해서 피드백을 받으면 직무 만족도와 생산성을 높일 수 있다. 예를 들어, "한 달 동안 매출 10% 증가시키기"와 같은 목표는 직원들의 동기 부여를 높이고, 성과를 구체적으로 측정할 수 있게 한다. 상사와의 정기적인 피드백 세션은 직원들이 목표 달성 과정을 점검하고, 필요한 조치를 취할 수 있도록 도와준다. 이는 개인의 직무 능력을 향상하고, 경력 개발에 긍정적인 영향을 미친다.

건강 관리와 웰빙

건강한 생활 습관을 위한 구체적인 목표를 설정하면, 지속해서 건강을 유지할 수 있다. 예를 들어, "100일 동안 매일 10,000보 걷기"와 같은 목표는 개인의 신체 활동을 증가시키고, 전반적인 건강 상태를 개선하는 데 도움이 된다. 건강 목표를 달성함으로써 개인은 자기 통제력을 기르고, 장기적인 건강 관리를 할 수 있게 된다. 이는 삶의 질을 향상하고, 긍정적인 생활 습관을 형성하는 데 기여한다.

스포츠와 신체 활동

운동 목표를 구체적으로 설정하면, 운동 성과를 향상하는 데 도움이 된다. 예를 들어, "3개월 안에 5km 달리기 완주하기"와 같은 목표는 운동 동기를 높이고, 훈련 계획을 체계적으로 세울 수 있게 한다. 코치나 트레이너의 피드백은 운동 성과를 점검하고, 필요한 조정을 할 수 있게 도와준다. 이는 운동선수들의 성취감을 높이고, 더 높은 목표를 향해 나아갈 수 있도록 한다.

학습과 지식 습득

구체적이고 도전적인 학습 목표를 설정하면 학생들의 학업 성취를 높일 수 있다. 교사와 부모의 피드백과 지지가 목표 달성에 중요한 역할을 한다. 예를 들어, "100일 동안 매일 영어 단어 10개 암기하기"와 같은 구체적 목표는 학습 동기를 강화하고, 학생들이 자신감을 가지고 학업에 임할 수 있도록 돕는다. 또한, 목표를 성취함으로써 성취감을 느끼고, 자신이 더 높은 학습 목표를 설정하게 만든다.

목표 설정 이론: 100일 루틴의 변화와 성공

명확하고 도전적인 목표를 설정하면, 개인은 지속해서 동기 부여를 받으며, 100일 동안 일관된 노력을 기울일 수 있다. 이는 구체적인 목표를 통해 매일의 활동을 체계적으로 관리하고 성과를 극대화하는 데 기여한다. 앞서 설명한 **목표 설정 이론이 100일 루틴의 변화에 미치는 주요 효과와 예시**를 다음과 같이 살펴보자.

구체적 목표 설정

- 성취감: 구체적인 목표는 달성 가능성을 높여 성취감을 느끼게 한다.
- 자기통제 능력 강화: 명확한 시간과 활동이 정해지면 자기통제 능력이 강화된다.
- 예시:
  ① "100일 동안 매일 10분씩 명상하기"는 실천력을 높이고 일관성을 유지하게 한다.
  ② "100일 동안 매일 한 장의 그림 그리기"는 창의력을 자극하고 꾸준한 예술 활동을 가능하게 한다.
  ③ "100일 동안 매일 30분씩 운동하기"는 신체 건강을 증진하게 시키고 규칙적인 생활 습관을 형성한다.

도전적인 목표 달성

- 자기 효능감 증가: 도전적인 목표를 달성하는 과정에서 자기 효능감과 성취감을 느낄 수 있다.
- 학습 동기 강화: 일정한 학습 목표를 달성하는 데 필요한 지속적인 노력을 가능하게 한다.
- 예시:
    ① "100일 동안 매일 영어 단어 10개 암기하기"는 학습 동기를 강화하고 지속적인 노력의 결과를 확인하게 한다.
    ② "100일 동안 매일 1km 달리기"는 체력 향상과 함께 성취감을 느끼게 한다.
    ③ "100일 동안 매일 새로운 요리 한 가지 만들기"는 요리 실력을 향상하고 창의적 활동을 지속할 수 있게 한다.

피드백과 조정

- 실행 과정의 유연성: 목표 달성 여부를 체크하고 필요시 목표를 조정하면 더욱 현실성 있게 목표를 달성할 수 있다.
- 지속적인 개선: 피드백을 통해 지속적으로 목표를 조정하여 실현 가능성을 높인다.
- 예시:
    ① "100일 동안 매일 독서 20분 하기"는 매일 읽은 내용을 기록하고, 피드백을 통해 독서 시간을 조정한다.

② "100일 동안 매일 블로그 글쓰기"는 독자들의 반응을 보고 글의 주제를 조정하며, 지속적인 글쓰기를 가능하게 한다.

③ "100일 동안 매일 사진 찍기"는 매일 촬영한 사진을 리뷰하고, 필요시 촬영 방법이나 주제를 변경한다.

지속적인 동기 부여

- 지속적인 성취감: 매일 목표를 향해 노력하는 과정에서 작은 성취감을 쌓아가며 지속적인 동기 부여를 받는다.
- 장기 목표 달성: 일관된 노력은 장기적인 목표 달성에 큰 도움이 된다.
- 예시:

① "100일 동안 매일 저널 쓰기"는 매일의 작은 성취를 기록하고, 이를 통해 꾸준한 동기 부여를 받는다.

② "100일 동안 매일 새로운 단어 배우기"는 매일의 성취감을 통해 지속적인 학습 동기를 제공한다.

③ "100일 동안 매일 정리 정돈하기"는 작은 변화들을 통해 성취감을 느끼고 지속적인 생활 습관 형성에 도움을 준다.

개인의 성장과 발전에 목표 설정이 얼마나 중요한지 확인하였다. 100일의 도전을 앞두고 있다면, 명확한 목표를 설정해 보자.

목표를 향한 끊임없는 실천은 당신을 성공으로 이끌 것이며, 그 과정에서 얻는 성취감은 그 무엇과도 비교할 수 없을 것이다. 지금, 100일의 변화를 만들어 낼 목표를 세우길 바란다.

②

나는 할 수 있다! 자기 효능감 높이기
자기 효능감 이론

자기 효능감 이론(Self-Efficacy Theory)은 유명한 심리학자 앨버트 반두라(Albert Bandura)에 의해 개발된 중요한 심리학 이론이다. 이 이론은 개인이 특정 상황에서 요구되는 행동을 성공적으로 수행할 수 있는 능력에 대한 믿음을 의미하며, 이러한 믿음이 개인의 행동에 깊은 영향을 미친다고 설명한다. 자기 효능감은 단순한 자신감 이상의 개념으로, 특정 과제를 수행하는 능력에 대한 개인의 믿음과 직접적으로 관련되어 있다.

연구에 따르면, 자기 효능감이 높은 사람들은 일반적으로 더 높은 성과를 달성할 가능성이 크며, 이는 그들이 목표를 달성하기 위해 더 많은 노력을 기울이고 지속적으로 개선하려는 의지가 강하기 때문이다. 이러한 믿음은 개인의 전반적인 삶의 만족도를 높이는 데 기여한다. 따라서, 자기 효능감을 높이는 것은 개인의 성취와 행복을 위한 중요한 요소로 간주한다.

자기 효능감 이론: 구성 요소 살펴보기

자기 효능감 이론의 구성 요소를 깊이 있게 탐구하면, 각 요소가 어떻게 개인의 목표 달성 과정에서 중요한 역할을 하는지 알 수 있다. 자기 효능감은 과거의 성공 경험, 대리 경험, 사회적 설득, 정서적 상태, 그리고 생리적 반응과 같은 요소들로 구성되며, 이는 개인의 자신감과 동기 부여를 극대화한다.

성공 경험 Mastery Experiences

성공 경험은 과거에 특정 과업을 성공적으로 수행한 경험을 의미한다. 이는 자기 효능감을 높이는 가장 중요한 요소로, 개인에게 자신감을 부여하고, 향후 유사한 상황에서 성공할 가능성을 높인다. 예를 들어, 학생이 수학 문제를 꾸준히 풀어 좋은 성적을 받으면, 더 어려운 문제에도 도전할 자신감을 얻게 된다. 이 경험은 목표 설정과 문제 해결 능력에 긍정적인 영향을 미친다.

대리 경험 Vicarious Experiences

대리 경험은 다른 사람들이 특정 과업을 성공적으로 수행하는 모습을 관찰하는 것을 의미하며 자기효능감에 긍정적인 영향을 미친다. 특히 자신과 유사한 배경이나 능력을 가진 사람이 성공하는 모습을 볼 때 그 효과가 크다. 예컨대, 직장에서 비슷한 업무를 맡은 동료가 프로젝트를 성공적으로 마무리하는 모습을 보면, 자신도

그와 같은 성과를 낼 수 있다는 믿음이 생긴다. 이는 개인이 더 어려운 과제를 시도하고, 목표 달성을 위한 동기를 강화하는 데 도움이 된다.

사회적 설득 Social Persuasion

사회적 설득은 타인의 격려와 긍정적인 피드백을 의미한다. 교사, 동료, 가족 등의 지지와 격려는 개인이 자신의 능력을 신뢰하게 하고, 도전 과제를 극복할 수 있도록 동기를 부여한다. 이를테면, 상사가 "당신은 이 업무를 잘 해낼 수 있어"라고 말해주면, 직원의 자신감이 높아져 실제 성과 향상에 기여할 수 있다.

정서적 상태 Emotional States

정서적 상태는 개인이 느끼는 감정과 관련된 상태를 의미한다. 긍정적인 감정은 자기 효능감을 높이고, 부정적인 감정은 이를 저하하는 경향이 있다. 그래서 스트레스 관리, 긴장 완화 등의 정서 조절 전략이 중요하다. 예를 들어, 스트레스를 효과적으로 관리하는 사람은 긴장된 상황에서도 자신의 능력을 최대한 발휘할 수 있다. 이는 건강한 정신 상태를 유지하고, 전반적인 삶의 질을 높이는 데 기여한다.

생리적 반응 Physiological Responses

생리적 반응은 개인이 특정 상황에서 경험하는 신체적 변화를 의미한다. 예를 들어, 불안이나 긴장 시 나타나는 심박수 증가, 손바닥 땀 등은 자기 효능감을 저하하는 요인으로 작용할 수 있다. 반대로, 신체적 활력이 높을 때는 자신감과 효능감이 높아지는 경향이 있다. 따라서 운동, 휴식, 건강한 식습관 등은 생리적 반응을 긍정적으로 관리하여 자기 효능감을 증진하는 데 중요하다.

자기 효능감 이론: 어떻게 적용할까?

자기 효능감 이론을 적용하여 자신이 특정 행동을 성공적으로 수행할 수 있다는 믿음을 강화할 수 있다. 새로운 기술을 배우려는 사람이 처음에는 자신감이 부족할 수 있다. 이때, 작은 성공 경험을 통해 자신감을 쌓고, 지속적 변화 모델을 통해 이러한 경험을 체계적으로 관리하며 자기 효능감을 높일 수 있다. 적용 예를 살펴보자.

자기 성장

자기 효능감이 높은 사람은 개인 발전과 자기 계발에 있어서 큰 성과를 이룰 가능성이 크다. 예를 들어, 자신이 설정한 목표를 달성할 수 있다는 믿음이 있는 사람은 더 많은 도전과 성취를 경험하게 된다. 이는 독서, 새로운 기술 습득, 취미 활동 등 다양한 영역에서 긍정적인 결과를 낳는다. 예를 들어, 새로운 언어를 배우려는 사람이 자기 효능감을 가지고 지속해서 학습하면 유창하게 그 언어를 구사할 수 있다.

커리어 성장

직장에서 자기 효능감이 높은 직원은 더 큰 도전을 받아들이고, 직무 만족도와 생산성이 높아진다. 이는 조직 전체의 성과 향상에도 기여한다. 예컨대, 새로운 프로젝트를 맡은 직원이 자신감을 가지고 업무를 추진하면, 프로젝트 성공 가능성이 높아진다. 이러한 자기효능감은 지속적인 교육과 멘토링, 그리고 성과에 대한 긍정적인 피드백을 통해 강화될 수 있다.

건강 관리와 웰빙

자기 효능감이 높은 사람은 건강 관리와 웰빙을 유지하는 데 더 적극적이다. 예를 들면, 체중 관리, 운동, 스트레스 관리 등에서 긍정적인 결과를 보인다. 건강한 생활 습관을 유지하려는 사람은 자기효능감을 통해 꾸준히 운동하고, 건강한 식단을 지속할 수 있다. 이는 장기적으로 신체적, 정신적 건강을 모두 향상시키는 데 기여한다.

스포츠와 신체 활동

운동선수들이 자기 능력을 믿을 때 경기력 향상에 도움이 된다.

코치의 지도와 팀의 지지가 선수들의 자기 효능감을 높이는 데 중요한 역할을 한다. 이를테면, 코치가 선수에게 긍정적인 피드백을 주면, 선수는 자신감을 가지고 더 좋은 성과를 낼 수 있다. 이러한 자기효능감은 경기에서의 집중력과 성과를 극대화하는 데 중요하다.

학습과 지식 습득

학생들이 자신의 학습 능력을 믿을 때 더 높은 학업 성취를 이룰 가능성이 크다. 교사와 부모의 격려와 지지가 학생들의 자기효능감을 높이는 데 큰 역할을 한다. 예를 들어, 교사의 긍정적인 피드백을 받은 학생은 자신감을 가지고 어려운 과목에 도전할 수 있다. 이는 학생들이 학습에 대한 긍정적인 태도를 가지게 하고, 지속적인 학습 동기를 부여한다.

자기 효능감 이론: 100일 루틴의 변화와 성공

자기 효능감 이론은 100일 루틴을 성공적으로 완수하는 데 핵심적인 요소이다. 높은 자기 효능감은 개인이 자신감을 가지고 루틴을 시작하고, 어려운 시기에도 긍정적으로 대응할 수 있도록 돕는다. 이는 목표 달성을 위한 지속적인 동기 부여와 자기 확신을 제공한다. 자기 **효능감 이론이 100일 루틴의 변화에 미치는 주요 효과와 예시**를 다음과 같이 살펴보자.

성공 경험의 축적

- 자기 효능감 강화: 작은 성공 경험이 축적되면서 더 큰 도전에 도전할 자신감을 얻게 된다.
- 기반 마련: 성공 경험은 지속적인 동기 부여의 기반이 된다.
- 예시·
    - ① 매일 10분씩 독서를 목표로 세우고 100일 동안 실천하면, 독서 습관이 형성되고 책을 다 읽어낸 성취감을 통해 더 어려운 독서 목표에 도전할 자신감을 얻는다.
    - ② 매일 1km씩 달리기를 목표로 하고 100일 동안 실천하면, 체력 향상과 함께 더 긴 거리를 달릴 수 있는 자신감을 얻는다.
    - ③ 매일 새로운 요리 한 가지를 시도하여 100일 동안 실천하면, 요리 실력이 향상되고 더 복잡한 요리에 도전할

자신감을 얻게 된다.

대리 경험 제공

- 자신감 강화: 다른 사람들의 성공을 보며 자신도 할 수 있다는 믿음을 강화할 수 있다.

- 상호작용 통한 동기 부여: 동료나 친구와의 상호작용을 통해 대리 경험을 얻는다.

- 예시:

  ① 같은 목표를 가진 사람들이 모여 서로의 진행 상황을 공유하고 응원하는 스터디 그룹에 참여하면, 다른 사람들의 성취를 보며 자신도 할 수 있다는 확신을 얻는다.

  ② 운동 동호회에 가입하여 100일 동안 함께 운동하면서 다른 회원들의 성취를 통해 동기를 부여받는다.

  ③ 온라인 커뮤니티에서 100일 도전 과정을 공유하고 다른 사람들의 경험을 통해 영감을 얻는다.

사회적 설득과 피드백

- 자기 효능감 증진: 정기적인 피드백과 사회적 설득은 목표 달성 과정에서 중요한 역할을 한다.

- 긍정적 동기 부여: 긍정적인 피드백은 지속적인 동기 부여를 제공한다.

- 예시:

① 100일 동안 매일 운동한 결과를 소셜 미디어에 공유하면, 팔로워들의 응원과 칭찬이 꾸준한 운동을 지속할 동기를 부여한다.

② 매일 작성한 블로그 글에 대해 독자들의 긍정적인 댓글과 피드백을 받으면, 글쓰기를 지속할 동기를 얻는다.

③ 가족이나 친구에게 100일 도전을 알리고, 그들로부터 정기적인 격려와 피드백을 받는다.

정서적 안정

- 긍정적 정서 강화: 꾸준한 노력은 긍정적인 정서를 강화하고 부정적인 감정을 줄이는 데 도움이 된다.

- 삶의 질 향상: 지속적인 노력은 정서적 안정을 유지하고 전반적인 삶의 질을 향상한다.

- 예시:

① 매일 명상을 실천하면, 스트레스를 줄이고 마음의 안정을 찾는 데 도움이 되어 전반적인 삶의 질이 향상된다.

② 매일 감사 일기를 작성하면, 긍정적인 생각을 유지하고 정서적 안정을 찾는 데 도움이 된다.

③ 매일 일정 시간 산책을 통해 자연과 접촉하면서 마음의 평온을 유지한다.

자기 효능감 이론을 통해 자아효능감은 다양한 상황에서 개인이 자기 능력을 신뢰하고 더 높은 목표에 도전할 수 있도록 돕는 필수 요소임을 알게 되었다. 특히 100일 실천은 자기 효능감을 향상하는데 매우 유효한 방법임을 설득력 있게 전달되었기를 기대하며, 이를 실천에 옮겨 더 나은 미래를 만들어 나가기를 희망한다.

3

작은 습관이 만드는 인생의 변화

습관 형성 이론

습관 형성 이론(Habit Formation Theory)은 인간 행동이 반복적인 패턴을 통해 자동화될 수 있다는 개념을 중심으로 한다. 새로운 행동을 반복적으로 수행함으로써 습관이 형성되고, 일단 습관이 형성되면 의식적인 노력을 기울이지 않고도 행동이 자동으로 이루어진다. 이 습관 형성은 개인의 목표 달성, 건강 증진, 생산성 향상 등 다양한 영역에서 중요한 역할을 하며 자기 개선의 중요한 도구가 될 수 있다.

건강 심리학자인 필리파 랠리(Phillippa Lally)의 연구에 따르면, 습관 형성에 걸리는 시간이 개인별로 다르지만, 평균적으로 66일 정도가 소요됨을 보여주었다. 이는 단순한 행동부터 복잡한 행동에 이르기까지 다양한 행동이 습관으로 자리 잡기 위해서는 일정 기간 의식적인 노력과 반복이 필요함을 시사 한다.

습관 형성 이론: 구성 요소 살펴보기

습관 형성 이론의 구성 요소를 분석해 보면, 각 요소가 어떻게 새로운 습관을 형성하고 유지하는 데 기여하는지 알 수 있다. 이 이론은 신호, 행동, 보상, 반복, 그리고 환경적 요인으로 구성되어 있으며, 이러한 요소들은 개인이 지속해서 긍정적인 습관을 형성하고 강화할 수 있도록 돕는다.

트리거 Trigger

트리거는 행동을 시작하게 하는 신호나 자극이다. 이는 일상생활의 특정 상황, 시간, 장소 등을 통해 정의될 수 있다. 예를 들어, 아침에 일어나자마자 운동복을 입는 것이 운동 습관의 트리거가 될 수 있다. 트리거는 새로운 습관을 형성할 때 중요한 역할을 하며, 반복적인 행동을 자연스럽게 이끌어낸다. 따라서 트리거를 잘 설정하면 원하는 습관을 쉽게 만들고 유지할 수 있다.

행동 Action

행동은 트리거에 반응하여 수행하는 구체적인 행동이다. 이 행동은 처음에는 의식적인 노력이 필요하지만, 반복을 통해 점차 자동화된다. 예컨대, 매일 아침 10분씩 스트레칭하는 것이 행동에 해당한다. 반복적인 행동은 습관으로 자리 잡게 되며, 시간이 지나면 자연스럽게 수행되는 일상 활동이 된다. 또한, 행동은 목표 달성의 중요한 요소로 작용하며, 꾸준한 실천을 통해 긍정적인 변화를 가져온다.

보상 Reward

보상은 행동 후에 받는 긍정적인 피드백이나 결과이다. 보상은 행동을 강화하고, 습관 형성을 촉진한다. 이를테면, 스트레칭 후에 느끼는 상쾌한 기분이 보상될 수 있다. 보상은 습관 형성의 중요한 요소로 작용하며, 지속적인 동기 부여를 제공한다. 적절한 보상은 행동을 반복하게 만들고, 이를 통해 새로운 습관을 더 쉽게 정착시킬 수 있다. 또한, 보상 시스템은 목표 달성의 성취감을 높여 긍정적인 변화에 대한 자신감을 증대시킨다.

반복 Repetition

반복은 특정 행동을 꾸준히 반복하는 과정이다. 반복은 행동을 자동화하고 습관으로 만드는 데 필수적이다. 필리파 랠리의 연구에 따르면, 새로운 습관이 형성되기까지 평균 66일이 걸린다고 한다. 반복을 통해 행동이 자연스럽게 일상에 녹아들어 습관이 된다. 매일 정해진 시간에 스트레칭을 꾸준히 반복하는 것이 중요하다. 반복은 초기의 의식적인 노력을 줄여주며, 점차 무의식적인 행동으로 전환한다. 또한, 반복적인 행동은 자기 효능감을 높여주고 장기적인 목표 달성에 기여한다.

환경적 요인 Environmental Factors

환경적 요인(Environmental Factors)은 습관 형성에 영향을 미치는 외부 환경 요소이다. 환경적 요인은 습관 형성의 성공을 좌우할 수 있다. 예를 들어, 스트레칭을 할 수 있는 충분한 공간이나 분위기를 조성하는 것이 도움이 된다. 또한, 주위 사람들의 지지와 격려도 중요한 환경적 요인으로 작용한다. 환경을 잘 조성하면 습관 형성이 더 쉬워지고 지속 가능해진다. 이에 더해, 시각적 신호나 도구의 배치와 같은 작은 변화도 습관 형성에 큰 영향을 미칠 수 있다. 적절한 환경적 요인은 행동을 촉진하고 유지하는 데 필수적이다.

"트리거는 행동을 시작하게 만들고,

행동은 반복을 통해 자동화되며,

보상은 행동을 강화하고,

반복은 습관을 형성하고,

환경적 요인은 습관 형성의 성공을 돕는다."

습관 형성 이론: 어떻게 적용할까?

자기 계발을 위한 습관을 형성하면 개인의 성장과 발전을 체계적으로 관리할 수 있다. 예를 들어, 매일 새로운 기술을 학습하는 습관은 자기 계발에 큰 도움이 된다. 이는 개인의 전반적인 능력을 향상하고, 자신감을 높이는 데 기여한다. 또한, 지속적인 학습과 개선을 통해 자신만의 경쟁력을 강화할 수 있다.

자기 성장

직장에서 생산적인 습관을 형성하면 직무 만족도와 생산성을 높일 수 있다. 예를 들어, 매일 업무 시작 전에 하루 일정을 계획하는 습관은 업무 효율성을 높이는 데 도움이 된다. 상사와 동료의 피드백과 지원이 습관 형성에 중요한 역할을 한다. 체계적인 업무 관리와 목표 설정은 커리어 발전에 큰 도움이 된다

커리어 성장

직장에서 생산적인 습관을 형성하면 직무 만족도와 생산성을 높일 수 있다. 예를 들어, 매일 업무 시작 전에 하루 일정을 계획하는 습관은 업무 효율성을 높이는 데 도움이 된다. 또한, 매일 퇴근 전에 그날의 성과를 리뷰하고 내일의 우선순위를 정하는 습관도 중요한 역할을 한다. 체계적인 업무 관리와 목표 설정은 커리어 발전에 큰 도움이 된다.

건강 관리와 웰빙

건강한 생활 습관을 형성하면 지속적으로 건강을 유지할 수 있다. 예를 들어, 매일 아침 10분씩 명상하는 습관은 정신적 안정을 유지하는 데 도움이 된다. 건강한 습관은 신체적, 정신적 건강을 증진하는데 중요한 역할을 한다. 규칙적인 운동과 균형 잡힌 식단은 장기적인 웰빙을 보장한다.

스포츠와 신체 활동

운동 습관을 형성하면 운동 성과를 향상하는데 도움이 된다. 예를 들어, 매일 일정한 시간에 운동하는 습관은 지속적인 운동을 가능하게 한다. 코치와 트레이너의 지도가 운동 습관 형성에 중요한 역할을 한다. 꾸준한 운동은 체력 향상뿐만 아니라 전반적인 건강 증진에도 기여한다.

학습과 지식 습득

학습 습관을 형성하면 학생들의 학업 성취를 높일 수 있다. 예를 들어, 매일 일정한 시간에 공부하는 습관을 들이면 학습 효율성이 증가한다. 부모와 교사의 격려와 지지가 학습 습관 형성에 중요한 역할을 한다. "100일 동안 매일 30분 독서하기"와 같은 목표는 학습 습관을 형성하는 데 도움을 준다. 꾸준한 학습 습관은 장기적으로 깊이 있는 지식 습득과 학문적 성취를 가능하게 하며, 정기적인 복습과 자율 학습 시간은 자기 주도적 학습 능력을 키운다.

습관 형성 이론: 100일 루틴의 변화와 성공

습관 형성 이론은 100일 루틴의 성공을 위해 필수적이다. 일상적인 행동을 반복하고 습관으로 형성함으로써, 개인은 100일 동안 꾸준히 목표를 추구할 수 있다. 이는 작은 변화를 지속해서 쌓아나가며, 장기적인 성과를 끌어내는 데 기여한다. **습관 형성 이론이 100일 루틴의 변화에 미치는 주요 효과와 예시**를 다음과 같이 살펴보자.

트리거 설정

- 행동 유발: 특정 행동을 유발하는 트리거는 습관 형성의 중요한 첫 단계이다.
- 습관 형성 촉진: 트리거는 행동을 시작하게 하는 신호로 작용하여 습관 형성에 도움이 된다.
- 예시:
    ① 아침에 일어나자마자 물 한 잔 마시기
    ② 출근 전에 스트레칭 5분 하기
    ③ 잠들기 전에 책 10페이지 읽기

반복적인 행동

- 자동화: 같은 행동을 반복하면 습관이 형성되어 자동화된다.

- 지속적인 실행: 반복은 습관 형성의 핵심 요소로, 꾸준한 실행이 중요하다.
- 예시:
  ① 매일 10분 명상하기
  ② 매일 저녁 식사 후 30분 산책하기
  ③ 매일 아침 운동하기

보상 제공

- 행동 강화: 행동 후에 긍정적인 보상을 제공하면 습관 형성이 촉진된다.
- 동기 부여: 보상은 행동을 강화하고, 지속적인 동기 부여를 제공한다.
- 예시:
  ① 매일 운동 후에 상쾌함 느끼기
  ② 일주일간 목표를 달성했을 때 좋아하는 간식 먹기
  ③ 매일 목표를 달성한 후 자기 칭찬하기

지속적인 동기 부여

- 성취감: 목표를 향해 꾸준히 노력하면 성취감을 통해 지속적인 동기 부여가 된다.
- 장기적 습관 형성: 꾸준한 노력과 작은 성취가 반복되면서

습관은 점점 더 견고해진다.

- 예시:

    ① 매일 저녁에 성취 기록하기

    ② 목표 달성을 축하하는 작은 이벤트 마련하기

    ③ 성취 리스트를 작성하고 눈에 잘 보이는 곳에 두기

사회적 지원

- 외부 동기 부여: 주변 사람들의 격려와 지원은 습관 형성에 큰 도움이 된다.
- 상호 격려: 친구나 가족과 목표를 공유하고, 서로 격려하면 동기 부여가 강화된다.
- 예시:

    ① 친구와 함께 운동 계획 세우기

    ② 가족과 함께 저녁 식사 후 산책하기

    ③ 동료들과 함께 독서 모임 참여하기

피드백과 조정

- 실행 과정 개선: 실천 과정을, 피드백을 통해 지속적으로 조정할 수 있다.
- 목표 달성 최적화: 정기적인 피드백은 목표 달성 과정에서의 개선점을 파악하고, 더 나은 결과를 이끌어낸다.

- 예시:
    ① 매일 목표 달성 여부 체크하기
    ② 매주 목표와 성과를 리뷰하고 조정하기
    ③ 진척 상황을 기록하고 분석하기

　　습관 형성 이론을 통해 개인의 발전과 성취를 효과적으로 도모할 수 있는 필수 요소임을 알게 되었다. 이 이론은 다양한 상황에서 개인이 새로운 행동을 자동화하여 습관으로 만들 수 있도록 돕는다. 특히 100일 실천이 습관 형성을 촉진하는 데 매우 유효한 방법임을 설득력 있게 전달되었기를 기대한다.

유혹을 이기는 힘, 자제력과 의지력
자제력과 의지력 이론

로이 바우마이스터(Roy F. Baumeister)는 심리학 분야에서 자제력과 의지력에 관한 연구로 잘 알려져 있다. 그의 연구는 인간의 자기통제(self-control)와 의지력(willpower)이 어떻게 작동하며, 이들이 개인의 성취와 삶의 질에 어떻게 영향을 미치는지를 다룬다. 자제력(Self-Control)은 즉각적인 욕구나 충동을 억제하는 능력이며, 의지력(Willpower)은 장기적인 목표를 위해 지속적으로 노력하는 힘을 의미한다.

자제력과 의지력은 한정된 자원이지만 반복적인 실천과 작은 성공 경험은 이러한 자원을 강화할 수 있다고 주장하였으며 어떻게 효율적으로 관리하고 강화할 수 있는지에 대한 중요한 통찰을 제공하였다.

자제력과 의지력 이론: 구성 요소 살펴보기

자제력과 의지력 이론의 주요 구성 요소를 검토하면, 각 요소가 어떻게 개인이 유혹을 이겨내고 목표를 달성하는 데 필수적인 역할을 하는지 이해할 수 있다. 자제력과 의지력은 자아 규제, 자기 통제, 동기 부여, 목표 설정, 그리고 스트레스 관리로 구성된다. 반복적인 훈련을 통해 의지력은 향상될 수 있으며, 이는 장기적인 목표 달성에 큰 도움이 된다.

자아 규제 Self-Regulation

자아 규제는 개인이 자신의 행동, 감정, 생각을 조절하는 능력이다. 이는 자제력과 의지력의 핵심 요소로, 자아 규제가 높을수록 유혹을 효과적으로 억제하고 목표를 달성할 가능성이 높아진다. 예를 들어, 다이어트를할 때 식욕을 조절하여 건강한 식단을 유지하는 것이 이에 해당한다. 자아 규제는 스트레스 관리와 감정 조절에도 중요한 역할을 한다. 또한, 자아 규제가 강하면 장기적인 계획을 세우고 이를 지속적으로 실천할 수 있는 능력이 향상된다. 이에 따라 개인의 전반적인 삶의 질과 성취감이 높아진다.

자기 통제 Self-Control

자기 통제는 즉각적인 욕구나 충동을 억제하고 장기적인 목표를 추구하는 능력이다. 유혹을 효과적으로 관리하는 능력은 성공적인 자제력과 의지력의 중요한 요소이다. 예컨대, 학생이 공부 대신 T V를 보고 싶어 하는 유혹을 이겨내고 공부를 계속하는 상황이 이에 해당한다. 또한, 반복적인 유혹과 충동을 억제할 때 자아 통제력이 약화되는 현상이 발생할 수 있으며, 이는 자제력과 의지력이 한정된 자원임을 의미한다. 자기 통제는 일상생활에서의 다양한 선택과 행동에 영향을 미치며, 이를 통해 더 큰 성취와 만족을 얻을 수 있다. 또한, 꾸준한 연습과 전략적 접근을 통해 자기 통제를 강화할 수 있다.

동기 부여 Motivation

동기 부여는 목표를 달성하기 위한 내적 혹은 외적 자극이다. 동기 부여는 자제력과 의지력을 유지하고 강화하는 데 중요한 역할을 한다. 예를 들어, 일정 기간 목표를 달성한 후 자신에게 작은 선물을 주는 보상 시스템은 동기 부여를 제공하고 행동을 강화한다. 또한, 긍정적인 자기 대화나 비전 보드를 통해 동기 부여를 지속적으로 높일 수 있다. 동기 부여는 목표 달성의 여정을 지속 가능하게 만들며, 도전적인 상황에서도 의지를 유지하는 데 필수적이다.

목표 설정 Goal Setting

목표 설정은 구체적이고 측정 가능한 목표를 설정하여 이를 달성하기 위한 계획을 세우는 과정이다. 명확한 목표는 동기 부여를 강화하고, 자제력과 의지력을 유지하는 데 필수적이다. 예를 들어, 특정 기간 동안 일정한 체중 감량 목표를 설정하고 이를 위해 식단과 운동 계획을 세우는 것이 이에 해당한다. 목표 설정은 진행 상황을 모니터링하고 필요한 조정을 통해 목표를 더욱 효과적으로 달성할 수 있게 한다. 또한, 세부적인 단기 목표와 장기 목표를 함께 설정하면 전체적인 목표 달성에 대한 집중력을 높일 수 있다.

스트레스 관리 Stress Management

스트레스 관리는 유혹과 충동을 효과적으로 억제하고, 자제력과 의지력을 유지하는 데 중요하다. 스트레스 지수가 높아지면 자아 규제와 자기 통제가 약해질 수 있다. 따라서 스트레스를 관리하는 전략을 개발하는 것이 필요하다. 예를 들어, 명상, 운동, 충분한 휴식을 통해 스트레스를 관리하면 자기 효능감을 높이고, 목표 달성에 더 집중할 수 있다. 또한, 일상에서의 스트레스 요인을 파악하고 이를 줄이기 위한 방법을 모색하는 것이 중요하다. 스트레스 관리는 전반적인 정신적, 신체적 건강을 유지하는 데도 중요한 역할을 한다.

의지력을 강화하기 위해 꾸준히 연습하고 훈련하는 과정이 필요하다. 반복적인 훈련을 통해 의지력은 향상될 수 있으며, 이는 장기적인 목표 달성에 큰 도움이 된다. 이를테면, 매일 정해진 시간에 운동하는 습관을 기르는 것이 이에 해당한다.

자제력과 의지력 이론: 어떻게 적용할까?

자제력과 의지력 이론을 통해 충동을 억제하고 장기적인 목표를 향해 나아갈 수 있다. 유혹을 이겨내기 위해 지속적 변화 모델을 활용하여 자제력 강화 전략을 체계적으로 적용하고, 의지력을 지속적으로 유지할 수 있는 방법을 찾을 수 있다. 적용 예를 살펴보자.

자기 성장

자제력과 의지력을 통해 개인은 자신의 성장과 발전을 체계적으로 관리할 수 있다. 이를테면, 매일 새로운 기술을 학습하고자 하는 목표를 세우고 이를 실천하는 능력은 자기 계발에 큰 도움이 된다. 이는 전반적인 개인 발전과 성취감을 증진하는데 중요한 역할을 한다.

커리어 성장

직장에서 자제력과 의지력이 높은 직원은 더 큰 도전을 받아들이고, 직무 만족도와 생산성이 높아진다. 예컨대, 중요한 프로젝트를 수행할 때 집중력을 유지하고 유혹을 억제하는 능력은 프로젝트의 성공 가능성을 높인다. 상사와 동료의 피드백과 지원은 자제력과 의지력 강화를 도와준다.

건강 관리와 웰빙

자제력과 의지력이 높은 사람은 건강 관리와 웰빙을 유지하는 데 더 적극적이다. 예를 들면, 체중 관리, 운동, 스트레스 관리 등에서 긍정적인 결과를 보인다. 건강한 생활 습관을 유지하려는 사람은 자제력과 의지력을 통해 꾸준히 운동하고, 건강한 식단을 지속할 수 있다.

스포츠와 신체 활동

운동선수들이 자제력과 의지력을 발휘하면 경기력 향상에 도움이 된다. 예컨대, 훈련 중 유혹을 억제하고 꾸준히 연습하는 능력은 경기력 향상에 중요한 역할을 한다. 코치의 지도와 팀의 지지가 선수들의 자제력과 의지력을 강화하는 데 큰 도움을 준다.

학습과 지식 습득

학생들이 자제력과 의지력을 발휘하면 학업 성취를 높일 수 있다. 예를 들어, 시험공부를 위해 게임이나 친구들과의 만남을 자제하고 공부에 집중하는 능력은 학업 성과를 향상하는데 중요한 역할을 한다. 교사와 부모의 격려와 지지가 학생들의 자제력과 의지력을 강화하는 데 큰 도움을 준다.

자제력과 의지력 이론: 100일 루틴의 변화와 성공

자제력과 의지력 이론은 100일 루틴을 성공적으로 수행하는 데 중요한 역할을 한다. 강한 자제력과 의지력은 유혹과 어려움을 이겨내고, 꾸준히 목표를 향해 나아갈 수 있게 한다. 이는 개인이 100일 동안 지속적인 노력과 집중력을 유지하는 데 도움이 된다. **자제력과 의지력 이론이 100일 루틴의 변화에 미치는 주요 효과와 예시를 다음과 같이 살펴보자.**

유혹 관리

- 유혹을 이겨냄: 유혹을 효과적으로 관리함으로써 자제력을 강화한다.
- 목표 달성 집중력 유지: 유혹을 피하는 능력은 목표 달성에 집중할 수 있게 한다.
- 예시:
    ① 주말에 건강하지 않은 간식을 멀리 두기
    ② 집중할 시간을 정해두고 방해 요소 제거하기
    ③ 소셜 미디어 사용 시간을 제한하여 생산성 높이기

의지력 훈련

- 의지력 강화: 지속적인 훈련은 의지력을 강화한다.
- 목표에 대한 지속적인 노력: 의지력은 어려운 상황에서도 꾸

준히 목표를 향해 나아가게 한다.

- 예시:

  ① 매일 아침 일찍 일어나기 훈련

  ② 매일 정해진 시간에 운동하기

  ③ 어려운 일을 작은 단위로 나누어 단계별로 완료하기

자기 관리 전략

- 자기 관리 능력 향상: 체계적인 자기 관리는 자제력과 의지력을 높인다.

- 효율적 목표 달성: 자기 관리 전략은 목표 달성의 효율성을 높인다.

- 예시:

  ① 하루 일과를 미리 계획하고 일정표 작성하기

  ② 생산성을 높이기 위한 시간 관리 기술 적용

  ③ 정기적으로 자신의 진척 상황을 평가하고 개선점 찾기

긍정적 자기 대화

- 자기 확신 강화: 긍정적인 자기 대화는 자기 확신을 강화하고 의지력을 높인다.

- 스트레스 관리: 긍정적인 자기 대화는 스트레스를 줄이고 정신적 안정을 유지하게 한다.

- 예시:

  ① 매일 아침 긍정적인 다짐을 외치기

  ② 어려운 상황에서 긍정적인 자기 대화로 자신을 격려하기

  ③ 목표 달성 과정을 긍정적으로 인식하고 칭찬하기

장기적 시각 유지

- 장기적 목표 설정: 장기적인 시각은 목표를 지속적으로 추구하게 한다.
- 미래 지향적 사고: 장기적인 시각은 미래 지향적인 사고를 촉진한다.
- 예시:

  ① 100일 동안의 장기 목표를 시각적으로 표현하여 자주 확인하기

  ② 장기적인 목표를 달성하기 위해 작은 단계별 목표 설정

  ③ 매주 장기적인 목표를 상기시키며 동기 부여 유지

자제력과 의지력 이론을 통해 반복적인 행동과 긍정적인 보상이 자제력과 의지력 향상에 중요한 역할을 함을 확인했다. 이를 바탕으로 100일 동안 꾸준히 실천하면 자제력과 의지력을 강화하고 삶의 질을 높이며 장기적인 목표 달성에 도움이 될 것이다. 100일의

꾸준한 노력은 자제력과 의지력을 키우는 가장 확실한 방법이다. 지금 바로 시작하여 긍정적인 변화를 경험해 보자!

5

칭찬은 습관을 만든다! 긍정적 강화의 힘
긍정적 강화 이론

긍정적 강화 이론은 행동주의 심리학자인 비에프 스키너(B. F. Skinner)에 의해 발전되었으며, 원하는 행동이 반복될 가능성을 높이기 위해 보상을 사용하는 방법을 구체적으로 제시한다. 스키너는 실험을 통해 특정 행동이 보상을 받을 때 그 행동이 더 자주 발생하게 된다는 것을 증명했다. 이러한 보상은 물질적인 것일 수도 있고, 사회적인 것일 수도 있으며, 심리적인 만족감을 줄 수도 있다.

긍정적 강화(Positive Reinforcement)는 인간 행동을 이해하고 변화시키는 강력하고 유효한 도구이다. 이는 특정 행동이 발생한 후, 그 행동을 장려하는 보상이나 긍정적인 결과를 제공함으로써 그 행동의 빈도와 강도를 증가시키는 것을 의미한다. 긍정적 강화를 효과적으로 사용하면 학습, 직무 성과, 대인 관계 등 다양한 영역에서 긍정적인 변화를 이끌어낼 수 있으며, 이는 개인의 발전과 조직의 성과 향상에 크게 기여할 수 있다.

긍정적 강화 이론: 구성 요소 살펴보기

긍정적 강화 이론의 구성 요소를 살펴보면, 각 요소가 어떻게 개인의 행동을 강화하고 원하는 결과를 지속적으로 이끌어내는지 알 수 있다. 이 이론은 보상, 칭찬, 피드백, 강화 일정, 그리고 개인화된 강화 전략으로 구성되며, 이러한 요소들은 동기 부여를 높이고 바람직한 행동을 지속적으로 유지할 수 있게 한다.

보상 Rewards

긍정적인 행동을 촉진하기 위해 제공되는 모든 형태의 보상을 말한다. 보상은 물질적일 수도 있고, 사회적 칭찬이나 인정일 수도 있다. 이를테면, 직장에서 프로젝트를 성공적으로 완료한 후 보너스를 받는 것이 이에 해당한다. 보상은 동기 부여를 높이고 목표 달성에 대한 긍정적인 강화를 제공한다.

칭찬 Praise

칭찬은 특정 행동에 대한 긍정적인 평가를 통해 행동을 강화하는 방법이다. 예를 들어, 학생이 숙제를 잘했을 때 칭찬을 받으면, 이후에도 숙제를 열심히 하는 경향이 강화된다. 칭찬은 즉각적이고 구체적일 때 가장 효과적이다. 이는 자존감을 높이고, 반복적인 긍정적 행동을 촉진한다.

피드백 Feedback

피드백은 행동에 대한 구체적인 평가와 조언을 제공하는 것을 의미한다. 긍정적인 피드백은 바람직한 행동을 강화하고, 개선이 필요한 부분에 대한 명확한 지침을 제공한다. 예를 들어, 직원이 수행한 업무에 대해 상사가 구체적인 칭찬과 함께 향후 개선점을 제시하는 경우, 직원의 성과가 더욱 향상될 수 있다. 피드백은 학습과 성장을 촉진하며, 목표 달성에 중요한 역할을 한다.

강화 일정 Schedule of Reinforcement

강화 일정은 행동에 대한 보상이 주어지는 빈도와 타이밍을 의미한다. 보상의 형태와 제공 시기는 행동 강화의 효과에 큰 영향을 미친다. 강화 일정은 지속적 강화와 간헐적 강화로 나눌 수 있다. 매번 특정 행동 후에 보상을 주는 지속적 강화와, 불규칙한 간격으로 보상을 주는 간헐적 강화가 있다. 적절한 강화 일정은 행동의 지속성과 강도를 조절하는 데 효과적이다.

- 지속적 강화: 매번 특정 행동 후에 보상을 주는 방법
- 간헐적 강화: 불규칙한 간격으로 보상을 주는 방법

지속적 강화는 초기 학습에, 간헐적 강화는 학습된 행동의 장기 지속에 효과적이다. 긍정적 강화가 중단될 때 행동이 어떻게 변화하는지 이해하는 것은 바람직하지 않은 행동을 관리하는 데 중요하다.

개인화된 강화 Personalized Reinforcement

개인의 특성과 필요에 맞춘 보상과 강화 방법을 의미한다. 모든 사람에게 동일한 보상이 효과적이지 않을 수 있으므로, 개인의 동기 부여 요소에 맞춘 보상 전략이 필요하다. 예를 들어, 어떤 사람은 금전적 보상을, 다른 사람은 사회적 인정이나 유연한 근무시간을 더 선호할 수 있다. 개인화된 강화를 통해 보상의 효율성과 효과성을 극대화할 수 있다.

행동 수정 Behavior Modification

긍정적 강화를 통해 원하는 행동을 증가시키고, 바람직하지 않은 행동을 감소시키는 과정이다. 예컨대, 아이가 좋은 성적을 받으면 칭찬과 보상을 통해 학습 동기를 높이는 것이 이에 해당한다. 행동 수정은 체계적이고 지속적인 접근을 통해 장기적인 행동 변화를 이끌어낸다.

소거 Extinction

강화가 중단되었을 때, 특정 행동의 빈도가 감소하는 현상을 말한다. 예를 들어, 더 이상 칭찬을 받지 못하면 학생의 학습 동기가 줄어들 수 있다. 긍정적 강화가 중단될 때 행동이 어떻게 변화하는지 이해하는 것은 바람직하지 않은 행동을 관리하는 데 중요하다. 소거 현상을 관리하기 위해서는 일관된 보상과 피드백이 필요하다.

긍정적 강화 이론: 어떻게 적용할까?

긍정적 강화 이론을 통해 원하는 행동을 강화하고 지속시킬 수 있다. 목표를 달성할 때마다 스스로에게 작은 보상을 주는 방식을 통해 동기 부여를 높이고, 지속적 변화 모델을 통해 이러한 긍정적 강화 방법을 체계적으로 적용할 수 있다. 적용 예를 살펴보자.

자기 성장

개인의 긍정적인 행동을 강화하기 위해 칭찬과 보상을 사용할 수 있다. 예를 들어, 새로운 기술을 학습하거나 목표를 달성한 자신에게 작은 보상을 제공하면, 자기 계발에 대한 동기가 향상된다. 이러한 긍정적 강화는 개인의 성장과 발전을 지속적으로 촉진한다.

커리어 성장

관리자들은 직원들의 성과를 강화하기 위해 보상과 인센티브 프로그램을 활용할 수 있다. 이를테면, 목표를 달성한 직원에게 보너스를 지급하면, 직원들의 업무 동기가 향상된다. 이러한 보상 체계는 직무 만족도와 생산성을 높이는 데 중요한 역할을 한다.

건강 관리와 웰빙

건강한 행동을 촉진하기 위해 긍정적 강화를 사용할 수 있다. 예를 들어, 규칙적으로 운동하는 사람에게 보상을 제공하면, 지속해서 운동하게 된다. 건강한 식습관을 유지하는 사람에게도 작은 보상을 제공함으로써 건강 관리와 웰빙을 촉진할 수 있다. 이러한 보상은 단기적인 동기 부여뿐만 아니라, 장기적인 건강 목표 달성에 도움을 준다. 일정 기간 목표를 달성한 후 자신에게 주는 작은 선물이나 특별한 경험은 지속적인 동기 부여를 유지하는 데 효과적이다.

스포츠와 신체 활동

운동선수들이 긍정적 행동을 강화하기 위해 코치들은 칭찬과 보상을 사용할 수 있다. 예를 들어, 좋은 성과를 낸 선수에게 보상을 제공하면, 선수는 더 열심히 훈련하고 경기력 향상에 집중하게 된다. 팀의 긍정적 분위기 조성에도 도움이 된다. 또한, 이러한 보상 시스템은 선수들의 자기 효능감을 높이고, 지속적인 성과 향상에 중요한 역할을 한다. 긍정적인 피드백과 보상은 팀의 단합을 강화하고, 전체적인 팀 성과를 높인다.

학습과 지식 습득

교사들은 학생들의 긍정적인 행동을 강화하기 위해 칭찬, 보상 등을 사용하여 학습 동기를 높일 수 있다. 예를 들어, 숙제를 잘한 학생에게 칭찬과 함께 작은 보상을 주면, 학생은 더 열심히 공부하게 된다. 이러한 방식은 학습 성취도를 높이는 데 효과적이다. 또한, 학생들이 학습 과정에서 긍정적인 경험을 통해 자존감과 자신감을 키울 수 있게 한다. 정기적인 칭찬과 보상은 학생들의 장기적인 학습 습관 형성에 기여한다.

가정에서의 행동 관리

부모들은 자녀의 긍정적인 행동을 강화하기 위해 칭찬과 보상을 사용할 수 있다. 예를 들면, 아이가 집안일을 도왔을 때 칭찬과 함께 작은 보상을 주면, 아이는 더 자주 집안일을 돕게 된다. 이러한 보상 체계는 자녀의 긍정적 행동을 지속적으로 유도한다. 더불어, 자녀와의 신뢰 관계를 강화하고, 자녀의 책임감을 키우는 데도 도움이 된다. 일관된 보상과 칭찬은 자녀가 긍정적인 행동을 습관화하도록 도와준다.

긍정적 강화 이론: 100일 루틴의 변화와 성공

긍정적 강화 이론은 100일 루틴의 성공을 촉진하는 중요한 도구이다. 긍정적인 보상과 피드백을 통해, 개인은 매일의 성취를 인정받고 동기 부여를 유지할 수 있다. 이는 지속적인 강화와 동기 부여를 통해 100일 동안 일관된 성과를 달성하는 데 기여한다. 긍정적 강화 이론이 100일 루틴의 변화에 미치는 주요 효과와 예시를 다음과 같이 살펴보자.

강화 일정의 설정

- 지속적 동기 부여: 지속적 혹은 간헐적 강화 일정을 설정하여 행동을 강화할 수 있다.
- 목표 달성 촉진: 주기적인 보상은 지속적으로 동기를 유지하며 목표를 향해 나아갈 수 있게 한다.
- 예시:
  ① 매주 말 특정 목표를 달성했을 때 작은 보상을 제공하기
  ② 매월 목표를 달성한 후 자신에게 특별한 선물 주기
  ③ 일정 기간 목표를 꾸준히 달성했을 때, 휴가를 계획하기

보상의 형태와 타이밍

- 행동 강화: 행동 후 즉시 보상을 제공하면, 행동과 보상의 연관성이 높아져 행동이 강화된다.

- 긍정적 연상: 보상의 형태와 타이밍은 행동을 더욱 즐겁다고 기대하게 만든다.
- 예시:
  ① 매일 운동 후 바로 상쾌한 샤워하기
  ② 매일 독서 후 좋아하는 간식 먹기
  ③ 매일 목표 달성 후 취미 활동 시간을 가지기

행동 수정과 목표 조정

- 실천 가능성 향상: 행동을 지속적으로 수정하고 목표를 조정하면 실천 가능성을 높일 수 있다.
- 긍정적 강화 극대화: 정기적인 피드백을 통해 긍정적 강화의 효과를 극대화할 수 있다.
- 예시:
  ① 매일 목표 달성 여부를 기록하고, 필요시 목표를 조정하기
  ② 주기적으로 목표와 행동 계획을 리뷰하고 수정하기
  ③ 어려움이 있을 때 목표를 좀 더 현실적으로 변경하기

소거의 예방

- 행동 지속성 유지: 긍정적 강화가 중단되었을 때 행동이 감소하는 소거 현상을 예방한다.
- 일정한 보상과 피드백: 일정한 보상과 피드백을 제공함으로

써 행동을 지속적으로 강화할 수 있다.

- 예시:

  ① 목표 달성 후에도 간헐적으로 보상을 제공하여 행동의 지속성을 유지하기

  ② 정기적으로 작은 보상과 인센티브를 제공하기

  ③ 행동이 감소하지 않도록 긍정적 피드백을 주기적으로 제공하기

긍정적 강화 이론을 통해 반복적인 행동과 적절한 보상이 긍정적 행동 변화에 중요한 역할을 함을 확인했다. 이를 바탕으로 100일 동안 꾸준히 실천하면 긍정적 행동을 강화하고 삶의 질을 높이며 장기적인 목표 달성에 큰 도움이 될 것이다. 100일의 꾸준한 노력은 긍정적 강화를 통해 원하는 행동을 촉진하고 지속시키는 가장 효과적인 방법이다. 지금 바로 시작하여 긍정적인 변화를 만들어 보자!

6

변화는 지속될 때 의미가 있다!

지속적 변화 모델 이론

제임스 프로차스카(James O. Prochaska)와 칼 디클레멘테(Carlo C. DiClemente)가 제안한 지속적 변화 모델(Transtheoretical Model of Change, TTM)은 개인이 변화를 수용하고 지속하기 위해 겪는 단계들을 설명하는 매우 중요한 이론적 틀이다. 이 모델은 개인이 변화의 여정을 통해 어떤 과정을 거치며, 그 과정에서 나타나는 심리적, 행동적 변화를 체계적으로 이해하고자 하는 목적을 가지고 있다.

또한, 지속적 변화 모델은 개인의 변화를 이해하고 촉진하는 데 있어 필수적인 이론적 프레임워크로, 그 적용 범위와 실천적 유용성은 매우 광범위하다. 따라서 이 모델은 건강 행동 변화, 습관 형성, 중독 치료 등 다양한 분야에서 사용된다.

지속적 변화 모델 이론: 구성 요소 살펴보기

　지속적 변화 모델의 구성 요소를 자세히 탐구하면, 각 요소가 어떻게 개인이나 조직이 지속적으로 변화하고 성장하는 과정에서 중요한 역할을 하는지 파악할 수 있다. 이 모델의 단계는 무관심, 준비, 행동, 유지, 평가로 구성되어 있으며 종결을 포함하여 설명한다. 이러한 단계들은 지속적인 발전과 성공을 도모하며, 효과적으로 변화를 관리하고 적응할 수 있게 한다.

1단계. 무관심 Precontemplation

　무관심 단계는 변화를 고려하지 않거나 변화의 필요성을 인식하지 못하는 상태이다. 이 단계에 있는 사람들은 자신의 행동이 문제를 일으키거나 부정적인 결과를 초래할 수 있다는 사실을 깨닫지 못하거나, 변화에 대한 동기 부여가 부족하다. 예를 들어, 흡연자가 흡연이 건강에 미치는 악영향에 대한 정보가 부족하거나, 흡연으로 인한 질병의 위험성을 과소평가하는 경우가 이에 해당한다. 이러한 무관심 단계는 교육과 인식 개선을 통해 극복할 수 있다. 전문가들은 정확한 정보 제공, 흡연의 위험성 및 금연의 이점에 대한 교육, 개인적인 상담 등을 통해 변화에 대한 인식을 높이고 동기를 부여하여 다음 단계로의 전환을 촉진할 수 있다.

2단계. 고민 Contemplation

고민 단계는 개인이 변화의 필요성을 인식하고 현재 행동의 문제점을 인지하지만, 아직 변화에 대한 확신이 없어 결정을 내리지 못한 상태이다. 흡연자가 금연의 필요성은 알지만, 금단 증상이나 생활 습관 변화에 대한 두려움 때문에 망설이는 상황이 이에 해당한다. 이 단계에서는 변화에 대한 동기 부여와 지지적인 환경 조성이 중요하다. 전문가들은 변화의 장단점을 객관적으로 비교하고, 변화를 통해 얻을 수 있는 긍정적인 결과를 강조하는 상담을 통해 개인의 결정을 돕는다.

3단계. 준비 Preparation

준비 단계는 변화를 위한 구체적인 계획을 세우고, 조만간 행동을 취할 준비를 하는 상태이다. 이 단계의 사람들은 변화를 향한 의지가 강하며, 실행 계획을 마련하고 있다. 예를 들어, 흡연자가 금연 일정을 세우고, 금연 프로그램에 등록하거나 금연 보조제를 구입하는 것이 이에 해당한다. 이 단계에서는 구체적인 행동 계획과 현실적인 목표 설정이 중요하다. 전문가들은 실천 가능한 목표를 설정하고, 필요한 자원과 정보, 지지를 제공하여 변화의 성공적인 실행을 돕는다.

4단계. 행동 Action

행동 단계는 실제로 변화를 위한 행동을 시작하고 6개월 미만 유지하는 상태이다. 이 단계에서는 새로운 행동을 실천하고, 목표 달성을 위해 적극적으로 노력하며, 주변에 자신의 변화를 알리기도 한다. 예를 들어, 흡연자가 담배를 끊고 금연을 실천하거나, 운동을 시작하여 규칙적으로 운동하는 것이 이에 해당한다. 이 단계에서는 지속적인 지원과 격려가 필요하다. 전문가들은 긍정적인 피드백과 보상을 통해 동기 부여를 강화하고, 어려움이나 유혹에 직면했을 때 효과적인 대처 방법을 제공하여 변화를 지속하고 성공적으로 유지 단계로 넘어갈 수 있도록 돕는다.

5단계. 유지 Maintenance

유지 단계는 변화를 6개월 이상 지속적으로 유지하는 상태로, 재발 방지와 새로운 습관의 정착이 중요하다. 예를 들어, 흡연자가 금연을 지속하고 흡연 유혹을 효과적으로 관리하거나, 운동을 꾸준히 실천하여 건강한 생활 습관을 유지하는 것이 이에 해당한다. 이 단계에서는 재발 방지를 위한 전략과 지속적인 지원이 필요하다. 전문가들은 재발 위험 상황을 예측하고, 이에 대처할 수 있는 구체적인 계획을 마련하여 변화를 유지하도록 돕는다. 또한, 긍정적인 변화를 지속적으로 강화하고 자기 효능감을 높이기 위해 칭찬과 격려를 아끼지 않는다. 유지 단계는 새로운 생활 방식을 완전히 자신의 것으로 만들고, 안정적인 변화를 이루어 건강하고 행복한 삶을 영위하는 데 중점을 둔다.

6단계. 종결 Termination

종결 단계는 변화된 행동이 완전히 자리 잡아 더 이상 이전 행동으로 돌아갈 가능성이 없는 상태이다. 예를 들어, 흡연자가 금연을 완전히 습관화하여 다시 담배를 피우고 싶은 욕구나 유혹을 느끼지 않고, 흡연과 관련된 상황에서도 자연스럽게 대처할 수 있는 상태가 이에 해당한다. 이 단계에서는 변화를 지속하는 능력이 안정적으로 확립되었음을 의미하며, 전문가의 지속적인 지원이나 개입 없이도 스스로 변화를 유지할 수 있다. 종결 단계는 개인이 새로운 행동을 자신의 삶에 완전히 통합하고, 어떠한 유혹이나 어려움에도 흔들리지 않고 건강한 습관을 유지할 수 있는 자신감과 능력을 갖추었음을 보여준다. 이는 개인의 자립성과 자기 효능감이 최고 수준으로 향상되었음을 나타내는 중요한 지표이다.

지속적 변화 모델 이론: 어떻게 적용할까?

지속적 변화 모델을 통해 개인과 조직이 장기적인 발전과 성공을 도모할 수 있다. 변화의 각 단계를 체계적으로 관리하여 변화에 효과적으로 적응하고, 지속 가능한 성장을 끌어낼 수 있는 방법을 찾을 수 있다. 적용 예를 살펴보자.

자기 성장

행동 변화 과정에서 재발이 발생할 수 있음을 이해하고, 이를 자연스러운 과정으로 받아들이는 것이 중요하다. 재발 시 적절한 지원과 격려가 필요하다. 지속적 변화 모델을 활용하여 개인의 성장과 발전을 체계적으로 관리할 수 있다. 새로운 기술을 학습하려는 사람이 어려움을 겪을 때 꾸준한 지원과 격려를 통해 지속적으로 성장할 수 있다.

커리어 성장

조직 내 변화 관리에서 지속적 변화 모델을 적용하여 성공적인 조직 변화를 도모할 수 있다. 예컨대, 조직 내 새로운 정책 도입 시 직원들의 단계별 준비 상태를 평가하고, 적절한 교육과 지원을 제공하는 것이다. 이러한 접근은 직원들의 직무 만족도와 생산성을 높이는 데 중요한 역할을 한다.

건강 관리와 웰빙

건강 증진 프로그램에서 각 단계에 맞춘 개입을 통해 건강한 생활 습관을 촉진할 수 있다. 비만 관리 프로그램에서 초기 상담, 행동 계획 수립, 지속적 추적 관리를 통해 효과적인 체중 관리를 도울 수 있다. 건강한 생활 습관을 유지하려는 사람은 재발을 자연스러운 과정으로 받아들이고, 지속적인 지원과 격려를 통해 꾸준히 건강을 유지할 수 있다.

스포츠와 신체 활동

운동선수들이 재발의 자연스러움을 이해하고, 이를 통해 꾸준히 운동 습관을 유지하는 것이 중요하다. 운동 중단 후 다시 운동을 시작할 때, 코치와 트레이너의 지속적인 지원과 격려가 필요하다. 이를 통해 선수들은 지속적으로 경기력을 향상할 수 있다.

학습과 지식 습득

학생들의 학습 동기를 강화하기 위해 각 단계에 맞춘 상담과 지도를 제공할 수 있다. 학생이 학습 과정에서 어려움을 겪을 때, 교사와 부모의 지속적인 지원과 격려는 학습 동기를 높이는 데 중요한 역할을 한다. 재발의 자연스러움을 이해하고, 이를 극복하는 과정에서 학습자들은 지속해서 성장할 수 있다.

지속적 변화 모델 이론: 100일 루틴의 변화와 성공

지속적 변화 모델은 100일 루틴의 성공을 위한 체계적인 접근을 제공한다. 변화의 각 단계를 체계적으로 관리하고 적응함으로써, 개인은 100일 동안 지속적인 발전과 성장을 이룰 수 있다. 이는 장기적인 변화를 위한 효과적인 전략을 제공하여 루틴의 성공을 도모한다. **지속적 변화 모델이 100일 루틴의 변화에 미치는 주요 효과와 예시를 다음과 같이** 살펴보자.

준비 단계의 중요성

- 목표 설정과 계획 수립: 100일 실천을 시작하기 전에 목표 설정과 계획 수립을 통해 준비 단계를 강화할 수 있다.
- 성공 가능성 증대: 철저한 준비는 목표 달성의 가능성을 높인다.
- 예시:
    ① 100일 동안 매일 30분씩 운동하기로 계획 세우기
    ② 매일 아침 10분 명상하기 위한 명상 공간 마련하기
    ③ 건강한 식단을 위한 식재료 미리 준비하기

행동 단계의 지속성

- 반복적 행동: 100일 동안 매일 반복적인 행동을 통해 긍정적 변화를 유지할 수 있다.

- 습관 형성: 지속적인 실행은 긍정적인 생활 습관으로 자리
잡게 한다.
- 예시:
  ① 매일 아침 일찍 일어나 명상 실천하기
  ② 매일 저녁 30분 독서하기
  ③ 매일 저녁 식사 후 30분 산책하기

유지 단계의 강화

- 새로운 습관 강화: 100일 동안의 실천 과정을 통해 새로운
습관을 강화하고 유지 단계를 지속적으로 지원할 수 있다.
- 지속적 지원: 유지 단계에서 지속적인 지원은 습관의 고착을
도와준다.
- 예시:
  ① 매일 식단 기록하고 평가하기
  ② 매일 운동 일지를 작성하고 주기적으로 검토하기
  ③ 매일 성취 일기를 쓰고, 일주일마다 리뷰하기

피드백과 조정

- 목표 달성 과정 개선: 100일 실천 동안 정기적인 피드백을
통해 목표 달성 과정을 조정하고 개선할 수 있다.
- 효과적 목표 관리: 피드백은 목표 달성을 위한 최적의 경로
를 찾는 데 도움이 된다.

- 예시:
  - ① 매주 목표 달성 여부 체크하기
  - ② 목표 달성에 어려움이 있을 때 목표 수정하기
  - ③ 정기적인 피드백을 통해 행동 계획 조정하기

지속적 변화 모델을 통해 단계별 접근과 적절한 개입이 행동 변화에 중요한 역할을 함을 확인했다. 이를 바탕으로 100일 동안 꾸준히 실천하면 행동 변화를 지속해서 유지하고 삶의 질을 높이며 장기적인 목표 달성에 큰 도움이 될 것이다. 100일의 꾸준한 노력은 지속적 변화 모델의 각 단계를 통해 긍정적인 변화를 유도하고 유지하는 가장 효과적인 방법이다. 지금 바로 시작하여 긍정적인 변화를 만들어 보자!

2부.

100일 동안 실천을 유지하기 위한 10가지 방법

2부. 100일 동안 실천을 유지하기 위한 10가지 방법

1장. 명확한 목표를 설정한다.

명확하고 구체적인 목표를 설정하는 것이 중요하다.
목표가 분명할수록 실천할 수 있는 동기를 유지할 수 있다.

2장. 단계별 세부 계획을 세운다.

목표를 작은 단위로 나누어 단계별로 진행한다.
단계별 세부 계획은 목표 달성 과정을 명확하게 한다.

3장. 작은 것을 습관으로 형성한다.

목표를 이루기 위한 아주 작은 습관을 형성하라.
매일하는 꾸준한 습관은 장기적인 실천을 가능하게 한다.

4장. 목표를 시각적으로 표현한다.

목표 시각화는 목표 자체를 시각적으로 표현한다.
지속적인 동기 부여를 유지하는 방법에 집중한다.

5장. 나만의 지원 시스템을 구축한다.

주변의 친구, 가족 또는 동료와 함께 목표를 공유한다.
정서적 지원 시스템을 구축한다.

6장. 시간을 효율적으로 관리한다.

목표달성을 위해 일정을 생성하거나 제거하는 등 정리한다.
중요한 일에 우선순위를 두고 시간을 효율적으로 관리한다.

7장. 긍정 마인드와 유연한 태도를 유지한다.

중간에 실패가 있더라도 긍정적인 마인드를 유지한다.
계획이 틀어지더라도 유연한 태도로 대처한다.

8장. 정기적인 피드백을 받으며 개선한다.

정기적으로 자신이 얼마나 목표에 가까워졌는지 평가한다.
피드백을 통해 부족한 점을 보완하고 더욱 발전시켜 간다.

9장. 스트레스를 받아들이고 관리한다.

목표를 향해 달려가는 과정에서 스트레스는 쌓인다.
스트레스 관리법을 익히고, 충분한 휴식을 취해 재충전한다.

10장. 목표와의 정서적 연결을 강화한다.

목표에 자기 삶의 의미와 가치를 부여한다.
정서적 연결을 강화하여 지속적인 동기를 추진력을 얻는다.

현실의 바쁜 생활 속에서 자기 성장을 위해 하루하루의 실천이 얼마나 중요한지 강조하고 싶다. 매일 조금씩 목표를 향해 나아가는 작은 실천들이 쌓여 큰 성취를 이루게 된다. 성공적인 기업가 일론 머스크는 매일 꾸준한 노력과 학습을 통해 자신의 비전을 실현해 왔다. 그는 '작은 일들을 잘 해내는 것이 결국 큰일을 해내는 방법이다.'라고 말한다. 이처럼 일상의 작은 실천들이 모여 큰 성취를 이루게 되는 것이다.

　100일 챌린지를 하면서 도중에 멈추는 사람들을 보며, 어떻게 하면 포기하지 않고 꾸준히 실천할 수 있을까 고민했다. 나 자신도 몇 번이고 중도에 포기할 뻔했지만, 여러 가지 방법을 시도하면서 극복할 수 있었다. 그동안의 실제적인 경험을 기반으로 도움이 되는 방법을 정리하였다.

　이 방법들은 단순히 이론적인 것이 아니라, 내가 직접 경험하고 효과를 본 것들이다. 예를 들어, 목표를 명확히 설정하는 것은 내가 매일 무엇을 해야 할지 분명하게 알려 주었고, 실천 기록을 유지하는 것은 내 진전 상황을 눈으로 확인할 수 있게 해주어 큰 동기 부여가 되었다.

또한, 친구들과 목표를 공유하고 서로 격려하는 지원 시스템을 구축한 덕분에 힘든 순간에도 포기하지 않고 계속 나아갈 수 있었다. 한 번은 너무 바빠서 계획이 틀어졌을 때가 있었다. 그때는 유연한 태도로 상황을 받아들이고 다시 계획을 조정하는 방법을 사용했다. 아주 처음에는 이것이 한 번에 되지 않았다. 하지만 연습을 해가면서 이전의 경험을 통해 예측할 수 있게 되었으며 계획이 틀어졌을 때의 스트레스를 줄이고, 다시 일어설 힘을 주었다.

2부에서는 100일 챌린지에서 성공할 수 있도록 이 10가지 방법을 소개한다. 여러분은 100일 동안 포기하지 않고 꾸준히 실천하는 자신만의 방법을 발견할 것이다. 이 방법들의 설명, 전략, 실제 사례 그리고 코칭 질문을 상세히 순서대로 살펴보자.

그리고 목표를 달성하고, 큰 성취감을 느낄 수 있기를 진심으로 바라며 실천을 지속하는 힘과 용기를 얻어, 여러분의 꿈을 이루는 데 큰 도움이 되기를 바란다.

1

명확한 목표를 설정한다

명확한 목표 설정은 성공적인 실천의 첫걸음이다. 목표가 명확하지 않으면 실천 과정에서 방향을 잃기 쉽고, 동기 부여를 유지하기 어렵다. 따라서 명확하고 구체적인 목표를 설정하는 것은 실천에 성공하기 위한 필수 요소이다.

명확한 목표 설정은 여러 면에서 중요하다. 첫째, 명확한 목표는 방향성을 제공한다. 목표가 명확할수록 무엇을 해야 하는지 분명해지며, 이를 위해 필요한 행동을 구체적으로 계획할 수 있다. 둘째, 명확한 목표는 동기 부여를 강화한다. 구체적이고 현실적인 목표는 도달 가능하다는 확신을 주어, 지속적인 동기 부여를 유지하는 데 도움이 된다. 셋째, 명확한 목표는 진전 상황을 평가하는 기준이 된다. 명확한 목표가 있으면 자신의 진행 상황을 객관적으로 평가할 수 있고, 이를 바탕으로 필요한 조정을 할 수 있다.

명확한 목표 설정 전략

명확한 목표 설정은 성공적인 목표 달성의 첫 번째 단계다. 명확한 목표는 방향성을 제공하고, 지속적인 동기 부여를 유지하는 데 필수적이다. 다음은 목표 설정과 밀접하게 관련된 전략들이다.

목표의 개인적 의미 찾기

목표가 개인적으로 의미가 있을 때, 동기 부여가 더 강해진다. 목표를 설정할 때, 이 목표가 자신의 삶에 어떤 의미가 있는지 깊이 생각해 본다. 체중 감량 목표가 단순히 외모를 개선하는 것이 아니라, 건강을 유지하고 가족과 더 오래 함께하기 위한 것이라면 그 의미가 더욱 깊어진다. 목표의 개인적 의미를 명확히 하면, 실천 과정에서 발생하는 어려움을 극복하는 데 큰 도움이 된다.

SMART 방식 활용

목표 설정에 가장 널리 사용되는 방법의 하나는 SMART 방식이다. SMART는 Specific(구체적), Measurable(측정 가능), Achievable(달성 가능), Relevant(관련성), Time-bound(시간제한)의 약자다. 이 방식에 따라 목표를 설정하면, 목표가 명확하고 구체적으로 정의될 수 있다.

- 구체적(Specific)

  목표는 구체적이어야 한다. '운동하기'와 같은 일반적인 목표보다는 '매주 3회, 30분씩 조깅하기'와 같이 구체적으로 설정하는 것이 좋다. 구체적인 목표는 무엇을 해야 하는지 명확하게 이해할 수 있도록 도와준다.

- 측정 가능(Measurable)

  목표는 측정할 수 있어야 한다. 측정 가능성은 목표 달성 여부를 평가할 수 있게 해준다. '체중 감량하기'보다는 '3개월 동안 5kg 감량하기'와 같이 구체적인 수치로 설정하는 것이 바람직하다.

- 달성 가능(Achievable)

  목표는 현실적이고 달성할 수 있어야 한다. 지나치게 높은 목표는 오히려 좌절감을 줄 수 있다. 현재 자기 능력과 자원을 고려하여 도달할 수 있는 목표를 설정하는 것이 중요하다. 현재 조깅을 전혀 하지 않는 사람이 하루에 10km를 뛰는 목표를 세우는 것은 비현실적이다. 대신, '매일 1km씩 조깅하기'와 같이 점진적으로 도달할 수 있는 목표를 설정하는 것이 좋다.

- 관련성(Relevant)

  목표는 자신에게 의미 있고 관련성이 있어야 한다. 목표가 자신의 가치관이나 장기적인 계획과 맞아떨어질 때, 더욱 강한 동기 부여를 받을 수 있다. 건강을 중요시하는 사람에게 '규칙적으로 운동하기'는 높은 관련성을 가지며, 이를 통해 지속적인 실천이 가능해진다.

SMART 목표설정(상세 설명은 QR 링크 참조)

- 시간제한(Time-bound)

    목표는 시간제한이 있어야 한다. 시간제한이 없는 목표는 미루기 쉽다. '언젠가 영어 배우기'보다는 '3개월 동안 영어 회화 수업 수강하기'와 같이 구체적인 시간을 설정하면 목표 달성을 위한 긴장감을 유지할 수 있다.

구체적인 행동 계획 수립

명확한 목표를 설정한 후에는 이를 달성하기 위한 구체적인 행동 계획을 수립한다. 목표를 이루기 위해, 필요한 행동을 구체적으로 정의하고, 이를 일간, 주간, 월간 계획으로 나눈다. 체중 감량 목표를 위해 매일 30분씩 운동하고, 하루 1,500칼로리, 이하로 섭취하는 구체적인 계획을 세운다. 이렇게 하면 목표를 향한 구체적인 행동이 명확해지고, 실천 가능성이 높아진다.

큰 목표를 달성하기 위해서는 작은 단계별 목표를 설정하는 것이 중요하다. 큰 목표를 작은 단위로 나누어 각 단계를 구체적으로 정의한다. "3개월 동안 5kg 감량"이라는 목표를 달성하기 위해, 매주 0.5kg 감량이라는 작은 목표를 설정하고, 이를 달성하기 위한 세부 계획을 세운다. 이렇게 하면 목표가 더 관리 가능해지고, 작은 성취감을 통해 지속적인 동기 부여를 받을 수 있다.

목표 설정의 정기적 검토

목표를 설정한 후에는 정기적으로 목표를 검토하고 평가하는 것이 중요하다. 주기적으로 목표 달성의 진척 상황을 점검하고, 필요한 경우 목표나 계획을 조정한다. 목표 설정 후에도 상황이 변할 수 있어서, 유연하게 목표를 재조정하는 능력이 필요하다. 정기적인 검토를 통해 목표 달성의 진척 상황을 명확히 파악하고, 지속적인 동기 부여를 유지할 수 있다.

이와 같은 명확한 목표 설정 전략을 통해 목표를 구체적이고 실현할 수 있게 설정할 수 있다. 목표를 명확히 설정하면, 목표 달성을 위한 방향성과 동기 부여를 유지하는 데 큰 도움이 된다.

사례: 김현우 씨의 100일 동안 영어 단어 3,000개 암기

김현우 씨는 경영학과 4학년으로, 학업과 취업 준비에 큰 열정을 가지고 있다. 100일 실천을 통해 영어 능력을 향상하기로 결심했다.

- **목표의 개인적 의미 찾기**

  현우 씨는 글로벌 기업에서 일하고 싶은 꿈을 가지고 있으며, 이를 위해서는 영어 실력이 필수적이라고 생각했다. 영어 실력은 단순히 취업 준비를 위한 도구가 아니라, 자신의 꿈을 실현하기 위한 중요한 요소였다. 영어 능력을 향상하는 것이 자신의 미래를 위해 얼마나 중요한지 깨달으며, 이 목표에 깊은 의미를 부여했다.

- **SMART 방식 활용**

  현우 씨는 명확한 목표를 설정하기 위해 SMART 목표 설정 방법을 활용해서 다음과 같은 목표를 세웠다:

  구체적(Specific): 매일 30개 단어를 암기하여 100일 동안 3,000개 단어를 외운다.

  측정 가능(Measurable): 매주 단어 테스트를 통해 암기한 단어를 확인하고 기록한다.

달성 가능(Achievable): 현재 영어 실력은 토익 785점으로, 단어 암기를 통해 어휘력을 높이는 것은 충분히 현실적이다.

관련성(Relevant): 영어 실력 향상은 글로벌 기업에서의 취업 준비와 학업 성취에 매우 중요한 요소다.

시간제한(Time-bound): 100일 동안 매일 30개 단어를 암기한다.

SMART 목표설정

목표명: 나는 (100일 동안 영어 단어 3,000개 암기 **) 한다.**

구체적	매일 30개 단어를 암기하여 100일 동안 3,000개 단어를 외운다.
측정가능	매주 단어 테스트를 통해 암기한 단어를 확인하고 기록한다.
달성가능	현재 영어 실력은 토익 785점으로, 단어 암기를 통해 어휘력을 높이는 것은 충분히 현실적이다.
관련성	영어 실력 향상은 글로벌 기업에서의 취업 준비와 학업 성취에 매우 중요한 요소다.
시간제한	100일 동안 매일 30개 단어를 암기한다.

디자인 씽킹 강의에서 제공한 템플릿에 기재한 SMART 목표 설정

- 구체적인 행동 계획 수립

  일일 계획: 매일 아침 6시부터 7시까지 1시간 동안 30개 단어를 암기한다. 이를 위해 알람을 설정하고, 하루도 빠지지 않고 실천하기로 했다.

  주간 계획: 매주 일요일에는 주간 테스트를 통해 암기한 단어를 복습하고, 누적된 단어 중 잘 외워지지 않는 단어를 다시 학습한다.

  월간 계획: 매월 말에는 전체 암기 단어를 종합적으로 테스트하여 진척 상황을 점검하고, 다음 달의 학습 계획을 조정한다.

- 목표 설정의 정기적 검토

  일일 기록: 매일 암기한 단어를 노트에 기록하고, 단어 카드를 만들어 반복적으로 학습했다.

  주간 테스트: 매주 일요일에는 주간 테스트를 통해 암기한 단어를 확인하고, 점수를 기록했다. 이를 통해 자신의 학습 진척을 명확히 파악할 수 있었다.

  월간 점검: 매월 말에는 전체 단어를 종합적으로 복습하고, 학습 전략을 조정했다. 이를 통해 목표에 얼마나 가까워졌는지 확인하고, 필요한 경우 계획을 수정했다.

김현우 씨의 한마디

"100일 동안 매일 30개 단어를 암기하는 도전은 쉽지 않았지만, 명확한 목표 설정과 체계적인 계획 덕분에 큰 성과를 얻을 수 있었습니다. 목표를 세우고 꾸준히 실천하는 것이 얼마나 중요한지 깨달았고, 이 경험이 저에게 큰 자신감을 주었습니다. 토익 점수를 930점으로 올릴 수 있었던 것은 목표를 향한 지속적인 노력 덕분입니다."

명확한 목표 설정을 위한 코칭 질문

1. 이 목표를 설정한 이유는 무엇인가요?

2. 이 목표가 나의 장기적인 비전과 어떻게 연결되나요?

3. 내 목표는 구체적이고 명확한가요?

4. 이 목표를 측정할 수 있는 구체적인 지표는 무엇인가요?

5. 이 목표가 현실적이고 달성 가능한가요?

6. 이 목표를 달성하는 데 필요한 자원과 도구는 무엇인가요?

7. 이 목표가 나의 개인적 가치와 어떻게 일치하나요?

8. 이 목표를 달성하는 데 가장 큰 도전은 무엇인가요?

9. 이 목표를 달성하기 위해 하루에 무엇을 실천할 수 있나요?

10. 이 목표를 이루었을 때 나는 어떤 모습일까요?

　　이 질문들은 100일 실천을 시작하기 전에 스스로에게 묻고 답하며 자신의 목표를 더 명확하게 설정하고, 지속적으로 실천할 수 있는 동기 부여와 세부 계획을 마련할 수 있다. 실천 도중에 포기하고 싶거나 의욕이 약해질 때는 아래 질문에 답한 노트를 다시 꺼내어 읽어보자. 분명 도움이 될 것이다.

2

단계별 세부 계획을 세운다

세부 계획 수립은 목표 달성의 중요한 단계다. 목표를 설정하는 것만으로는 충분하지 않으며, 이를 구체적으로 실천할 수 있는 계획을 세워야 한다. 세부 계획은 목표를 작은 단계로 나누고, 각 단계를 체계적으로 실행할 수 있도록 돕는다.

세부 계획 수립은 여러 가지 이유로 중요하다. 첫째, 세부 계획은 목표 달성을 위한 구체적인 행동 지침을 제공한다. 목표를 이루기 위해, 필요한 단계를 명확히 하여, 혼란 없이 진행할 수 있도록 한다. 둘째, 세부 계획은 목표 달성 과정을 체계적으로 관리할 수 있게 해준다. 각 단계를 미리 계획함으로써 시간과 자원을 효율적으로 활용할 수 있다. 셋째, 세부 계획은 동기 부여를 유지하는 데 도움이 된다. 작은 단위의 성취를 통해 지속적인 동기 부여를 받을 수 있으며, 목표 달성에 대한 자신감을 키울 수 있다.

효과적인 세부 계획 수립 전략

세부 계획 수립은 100일 동안 실천을 유지하기 위한 핵심 요소다. 구체적이고 실행 가능한 계획을 수립하면 목표 달성이 더 쉽고 체계적으로 이루어진다. 다음은 세부 계획 수립을 위한 전략이다.

목표 세분화

목표를 작은 단위로 나누어 구체적인 주간 및 일간 목표를 설정한다. 예를 들어, "100일 동안 5kg 감량"이라는 목표를 설정했다면, 이를 주간으로 나누어 "매주 0.5kg 감량"이라는 작은 목표를 세운다. 이렇게 하면 전체 목표가 부담스럽지 않게 느껴지고, 작은 성공 경험이 지속적인 동기 부여를 제공한다.

일정 계획 작성

100일 동안의 전체 일정을 월간, 주간, 일간으로 나눈다. 월간 계획에는 주요 마일스톤과 목표를 기록하고, 주간 계획에는 매주 달성할 세부 목표를 기재한다. 일간 계획에는 매일의 구체적인 행동 항목을 작성한다. 이를 통해 매일 무엇을 해야 할지 명확하게 알 수 있고, 계획대로 실천할 수 있다.

구체적인 행동 항목 설정

각 일간 목표를 달성하기 위해 필요한 구체적인 행동 항목을 설정한다. 예를 들어, 체중 감량을 목표로 하는 경우, 매일 해야 할 운동 시간과 종류, 식사 계획 등을 상세히 기록한다. "월요일: 30분 조깅, 점심 샐러드, 저녁 단백질 보충"과 같이 구체적으로 작성한다.

우선순위 설정

하루 동안 해야 할 일의 우선순위를 설정하여 중요한 일부터 처리한다. 우선순위를 정하는 아이젠하워 매트릭스를 활용한다.

아이젠하워 매트릭스(상세 설명은 QR 링크 참조)

이를 통해 가장 중요한 목표를 먼저 달성하고, 시간이 부족할 때도 우선순위가 낮은 항목을 조정할 수 있다. "긴급/중요", "중요하지만 긴급하지 않음", "긴급하지만 중요하지 않음", "긴급하지도 중요하지도 않음" 등으로 나누어 우선순위를 정한다. 이미지의 QR 코드를 스캔하면 더 자세한 내용을 확인할 수 있다.

일정 조정 및 유연성 확보

예기치 않은 상황이 발생할 수 있으므로, 일정에 여유를 두고 유연하게 조정할 수 있도록 계획한다. 계획이 틀어졌을 때 당황하지 않고 대체할 수 있는 행동을 미리 고려한다. 예를 들어, 비가 와서 야외 운동을 할 수 없는 경우, 실내 운동으로 대체하는 방안을 미리 마련해 둔다.

주기적인 리뷰 및 피드백

주간 리뷰 시간을 가지며 계획의 진행 상황을 점검하고 필요한 조정을 한다. 무엇이 잘 되고 있는지, 무엇이 개선이 필요한지를 평가하여 다음 주 계획에 반영한다. 이를 통해 계획을 지속적으로 개선하고 실천을 유지할 수 있다.

시각적 도구 활용

캘린더, 플래너, 체크리스트 등 시각적 도구를 활용하여 계획을 한눈에 볼 수 있게 한다. 시각적 도구는 진행 상황을 쉽게 파악하고 동기 부여를 유지하는 데 도움이 된다. 벽에 큰 캘린더를 붙이거나, 매일 체크리스트를 사용하여 완료한 항목을 표시한다.

현실적인 목표 설정

세부 계획을 세울 때 현실적이고 달성 가능한 목표를 설정한다. 너무 과도한 목표는 실천을 지속하는 데 어려움을 줄 수 있다. 자신의 현재 상황과 능력을 고려하여 현실적인 목표를 세우고, 이를 조금씩 높여가는 방식으로 계획한다.

일관성 유지

매일 일관되게 계획을 실천하는 것이 중요하다. 하루라도 계획을 따르지 않으면 의욕을 잃을 수 있기 때문에, 매일 계획한 행동을 반드시 실행하도록 한다. 규칙적인 일정을 유지하는 것이 성공의 열쇠다.

성과 기록 및 보상

매일의 성과를 기록하고, 작은 목표를 달성할 때마다 자신에게 보상을 제공한다. 이를 통해 성취감을 느끼고 지속적으로 동기 부여를 받을 수 있다. "일주일 동안 운동 계획을 지켰다면 좋아하는 영화를 보기"와 같은 보상을 설정한다.

사례: 이지은 씨의 100일 동안 5kg 감량하기

직장인 5년 차인 이지은 씨는 바쁜 업무 속에서도 건강한 체중 감량을 목표로 '3개월 동안 5kg 감량하기' 100일 챌린지에 도전하기로 결심했다. 그녀는 다음과 같이 체계적이고 구체적인 계획을 세워 목표를 달성하고자 했다.

- **목표 세분화**

  이지은 씨는 '3개월 동안 5kg 감량하기'라는 명확하고 구체적인 목표를 설정했다. 이 목표를 달성하기 위해 이를 주간 단위로 나누어 "매주 0.5kg 감량"이라는 작은 목표를 세웠다.

- **일정 계획 작성**

  이지은 씨는 100일 동안의 전체 일정을 월간, 주간, 일간으로 나누어 구체적으로 계획을 세웠다. 월간 계획에는 주요 마일스톤과 목표를 기록하고, 주간 계획에는 매주 달성할 세부 목표를 기재했다. 일간 계획에는 매일의 구체적인 행동 항목을 작성했다.

- **구체적인 행동 항목 설정**

  주간 및 일일 운동 계획과 식단 계획을 세웠다. 운동 계획으로는 '매주 3회, 30분씩 조깅하기'를 설정하고, 식단 계획으로는 하루 1,500칼로리 이하로 섭취하기'를 세웠다. 이를 통해 매일 무엇을 해야 할지 명확하게 알 수 있었다.

- **우선순위 설정**

  운동과 식단의 중요도를 설정하고, 이를 균형 있게 실행하기로 결심했다. 운동이 체중 감량에 중요한 역할을 한다는 것을 알고 있었지만, 올바른 식단이 이를 뒷받침해 줄 것이라는 사실도 인식했다. 따라서 두 가지를 균형 있게 실천하기로 했다.

- **일정 조정 및 유연성 확보**

  이지은 씨는 매일 일정 시간에 운동하고, 식사 계획을 구체적으로 세웠다. 매일 아침 6시에 조깅을 하고, 저녁 7시에 건강한 식사를 준비하는 일정으로 생활을 정리했다. 이러한 일정을 준수하기 위해 알람을 설정하고, 철저히 지키기로 했다.

- **주기적인 리뷰 및 피드백**

  이지은 씨는 자신의 진척 상황을 지속적으로 모니터링하기로 했다. 매주 체중을 측정하고, 운동 및 식단 일기를 작성하여 자신의 진행 상황을 점검했다. 이를 통해 계획을 지속적으로 개선하고 실천을 유지할 수 있었다.

- **시각적 도구 활용**

  이지은 씨는 스마트 밴드와 모바일 앱을 활용하여 자신의 실천 기록을 시각적으로 확인했다. 이를 통해 진행 상황을 쉽게 파악하고 동기 부여를 유지할 수 있었다. 매일 실천을 완료한 후 모바일 앱의 체크리스트에 표시했다.

모바일 앱 HabitNow 실천 기록

- **현실적인 목표 설정**

  이지은 씨는 현실적이고 달성이 가능한 목표를 설정했다. 하루 1,500칼로리 이하로 섭취하고 매주 3회, 30분씩 조깅하는 목표는 무리하지 않으면서도 충분히 도전적이었다.

- **일관성 유지**

  매일 일관되게 계획을 실천하는 것이 중요하다는 것을 알고 있었기 때문에, 하루라도 계획을 따르지 않으면 의욕을 잃을 수 있다고 판단했다. 매일 계획한 행동을 반드시 실행하도록 하여 규칙적인 일정을 유지했다.

- **성과 기록 및 보상**

  이지은 씨는 매일의 성과를 기록하고, 작은 목표를 달성할 때마다 자신에게 보상을 제공했다. 예를 들어, 일주일 동안 운동 계획을 지켰다면 좋아하는 영화를 보는 보상을 설정했다. 이를 통해 성취감을 느끼고 지속해서 동기 부여를 받을 수 있었다.

이지은 씨의 한마디

"100일 챌린지에 이전에 2번 정도 도전했다가 중간에 그만둔 경험이 있어서 시작을 망설였습니다. 이번에도 위기가 있었지만, 이전과 다른 것은 이번에는 챌린지를 완수하기 위한 세부적인 계획을 세우고 시작했다는 것입니다. 체계적인 계획 덕분에 목표를 향해 꾸준히 나아갈 수 있었고 매일 작은 목표를 달성하면서 점점 자신감을 얻었고, 결국 100일이 끝났을 때 5kg을 감량하는 데 성공했습니다."

세부 계획을 위한 코칭 질문

1. 내 목표를 작은 단계로 나누면 어떤 세부 계획들이 필요한가요?

2. 각 세부 계획의 우선순위는 무엇인가요?

3. 단계별로 필요한 시간은 어느 정도인가요?

4. 이 계획을 실행하는 데 필요한 자원과 도구는 무엇인가요?

5. 단계별로 예상되는 어려움은 무엇이고, 어떻게 극복할 것인가요?

6. 세부 계획을 실행하는 데 있어 가장 중요한 행동은 무엇인가요?

7. 세부 계획의 진행 상황을 어떻게 모니터링할 것인가요?

8. 각 세부 계획의 마감 기한은 언제인가요?

9. 세부 계획을 달성했을 때의 보상은 무엇인가요?

10. 세부 계획이 전체 목표와 어떻게 연결되나요?

　　이 질문들을 통해 세부 계획을 더 구체적이고 체계적으로 수립할 수 있다. 세부 계획을 세우고 챌린지를 실천하는 도중에 실천을 미루게 되거나 버거움을 느낀다면, 달라진 상황을 받아들이고 질문에 다시 답변하면서 계획을 정리해보자.

작은 것을 습관으로 형성한다

목표를 달성하기 위해서는 꾸준한 실천이 필수적이며, 이를 뒷받침하는 핵심 요소 중 하나는 습관 형성이다. 작은 행동부터 시작하여 지속적으로 반복하면, 목표 달성의 길에 오르는 데 필요한 습관을 형성할 수 있다.

습관 형성은 여러 이유로 중요하다. 첫째, 습관 형성은 목표를 향한 작은 행동들을 자동화하여 꾸준히 실천할 수 있게 한다. 처음에는 의식적으로 실천해야 하지만, 반복을 통해 행동이 습관화되면 자연스럽게 목표에 도달할 수 있다. 둘째, 습관 형성은 일관성을 유지하는 데 큰 도움이 된다. 매일 같은 시간에 같은 행동을 반복하면, 일상에서 습관이 고정되어 목표를 향한 진전이 더 쉬워진다. 셋째, 습관 형성은 행동을 지속하는 데 필요한 동기 부여를 강화한다. 작은 성취를 반복적으로 경험하면, 성취감을 느끼며 더 큰 목표를 향해 나아갈 수 있는 동력이 된다.

습관 형성을 위한 전략

습관 형성은 작은 행동부터 시작하여 일관성을 유지하고, 트리거를 설정하며, 기록과 추적을 통해 성취감을 높이는 과정을 포함한다. 여기에 더해 보상 시스템과 점진적인 증가를 통해 습관을 강화할 수 있다. 습관을 형성하는 주요 전략을 설명한다.

작게 시작하기

작은 행동부터 시작하여 부담을 줄이고 꾸준히 실천할 수 있도록 한다. 이는 초기의 높은 의욕이 지속 가능하게 만드는 중요한 방법이다. 큰 변화를 한꺼번에 시도하면 쉽게 지치고 포기하기 쉽다. 반면 작은 목표를 설정하면 실천이 쉬워지고, 성취감을 자주 느낄 수 있다. 처음에는 매일 5분 걷기부터 시작한다. 5분이라는 시간은 누구나 쉽게 할 수 있을 만큼 짧고 간단하다. 이 목표에 익숙해지면 10분, 15분으로 시간을 늘려가며 점진적으로 목표를 확장할 수 있다.

일관성 유지

매일 같은 시간과 장소에서 습관을 실천하여 행동을 고정화한다. 일관성은 습관 형성의 핵심 요소로, 특정 행동을 반복적으로 수행할 때 그 행동은 우리의 생활 속에 자연스럽게 자리잡게 된다. 아침에 일어나자마자 스트레칭하기. 매일 아침이라는 일정한 시간에 같은 장소에서 스트레칭하면, 몸과 마음이 자연스럽게 그 행동을 기대하게 된다. 이렇게 일관된 시간과 장소에서 반복적으로 행동을 실천하면 습관으로 고정화될 가능성이 높아진다.

트리거 설정

특정 행동을 유발하는 트리거(신호)를 설정한다. 트리거는 새로운 습관을 시작하는 신호로, 기존의 일상적인 행동이나 상황과 연계하여 습관 형성을 도와준다. 차를 마신 후 10분간 명상하기. 차를 마시는 행위가 명상을 시작하는 신호가 된다. 차를 마신 후 자연스럽게 명상하는 행동으로 이어지면, 차가 명상의 트리거 역할을 하게 된다. 이러한 트리거 설정은 습관을 시작하고 유지하는 데 큰 도움이 된다. 나의 트리거는 물 한 잔을 천천히 마신 후 가볍게 스트레칭하는 것이다. 처음 시작할 때는 잊는 경우도 많았지만, 시간이 지날수록 자연스럽게 습관이 형성되었다. 자신의 트리거를 만들어보자.

기록과 추적

일일 기록을 통해 진행 상황을 추적하고, 성취감을 높인다. 기록은 자신의 실천 과정을 명확히 확인하고, 발전 상황을 시각적으로 볼 수 있게 한다. 다이어리나 앱을 사용하여 매일 실천한 내용을 기록한다. 매일의 운동 시간, 거리, 느낌 등을 기록하면, 점진적인 발전을 한 눈에 볼 수 있다.

보상 시스템

작은 성취를 이루었을 때 스스로에게 보상을 준다. 이는 긍정적인 강화 작용을 통해 습관 형성을 돕는다. 작은 보상은 노력에 대한 즉각적인 보답이 되어, 더 큰 동기를 부여한다. 일주일간 매일 운동을 완료하면 좋아하는 음식을 먹는다. 자신이 좋아하는 활동이나 물건을 보상으로 설정하면, 그 보상을 받기 위해 꾸준히 실천하게 된다. 보상 시스템은 목표 달성을 즐겁다고 기대하게 만드는 중요한 요소이다.

점진적 증가

습관이 자리 잡기 시작하면 행동의 강도나 시간을 조금씩 늘려간다. 이는 초기의 작은 목표를 확장하여 더 큰 성취로 이어지게 한다. 처음에는 5분 걷기, 익숙해지면 10분으로 늘리기. 점진적으로 운동 시간을 늘리면서도 무리하지 않도록 조절한다. 이렇게 하면 몸이 점차 변화에 적응하게 되고, 더 큰 목표를 달성할 준비가 된다.

습관을 효과적으로 형성하기 위한 과정에서 중요한 것은 꾸준함과 지속성이다. 작은 성취를 통해 점진적으로 목표를 확장하고, 일상생활에 자연스럽게 스며들도록 만드는 것이 습관 형성의 핵심이다. 이러한 전략을 일관되게 적용한다면 원하는 습관을 성공적으로 형성할 수 있을 것이다.

사례: 박수진 씨의 포토샵 마스터 도전! 1일 1작품 도전

20대 박수진 씨는 경영학과 졸업반이다. 경영학과에서 프레젠테이션하는 일이 많아지면서 디자인 능력도 중요하다고 느꼈다. 먼저 도구를 잘 다루고 싶다는 생각이 들어 포토샵 마스터에 도전하려고 한다. 취업을 준비하는 4학년 입장에서 경쟁력을 높이기 위해 디자인 능력을 키우는 것은 매우 중요하다고 판단했다. 습관을 형성하기까지 적용한 내용을 살펴본다.

- **작게 시작하기**

  처음에는 간단한 사진 편집 작업부터 시작했다. 기본적인 밝기 조절, 색상 보정, 크기 조절 등의 간단한 작업을 매일 연습했다. 이러한 작은 작업을 통해 포토샵의 기본 기능에 익숙해지고, 점차 복잡한 작업에 도전할 수 있는 자신감을 쌓았다.

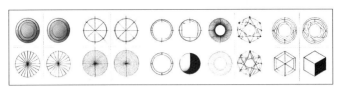

포토샵에서 쉽고 간단한 도형 연습하기 시작

- **일관성 유지**

  수진 씨는 매일 아침 9시에 포토샵을 켜고 작업을 시작했다. 이를 위해 아침 일과를 조정하고, 작업 공간을 정리했다. 같은 시간과 장소에서 일관되게 작업을 시작함으로써, 포토샵 작업이 자연스럽게 일상생활의 일부가 되었다.

- **트리거 설정**

  수진 씨는 매일 아침 커피를 마신 후 포토샵 작업을 시작하는 습관을 만들었다. 커피를 마시는 행위가 포토샵 작업을 시작하는 신호가 되었다. 이렇게 하면 매일 커피를 마신 후 자연스럽게 포토샵을 켜고 작업을 시작하게 되었다.

- **기록과 추적**

  수진 씨는 매일의 작업을 블로그에 기록하고, SNS에 공유했다. 매일 완성한 작품을 사진으로 찍어 올리고, 작업 과정과 느낀 점을 함께 기록했다. 이를 통해 자신의 발전을 시각적으로 확인하고 성취감을 느낄 수 있었다. 또한, 팔로워들의 피드백을 통해 동기 부여를 받았다.

- **보상 시스템**

  수진 씨는 일주일간 매일 작업을 완료하면 자신에게 작은 보상을 해주었다. 좋아하는 디저트를 먹거나, 영화를 보는 시간을 가졌다. 이러한 보상은 목표 달성을 즐겁게 만들어

주었고, 꾸준히 실천할 수 있는 동기를 부여했다. 다른 때도 먹을 수 있는 디저트가 열심히 일주일간 잘 실천한 자신에게 주는 상이라고 생각하니 더 맛있고 가치 있게 느껴졌다.

- **점진적 증가**

  수진 씨는 처음에는 매일 30분 동안 간단한 작업을 했지만, 점차 작업 시간을 늘려갔다. 처음 1개월은 30분 작업, 이후에는 1시간, 2시간으로 작업 시간을 늘려갔다. 작업의 난이도도 점차 높여가며, 단순한 사진 편집에서 로고 디자인, 포스터 제작 등으로 도전 과제를 확장했다.

박수진 씨의 한마디

"처음에는 막막했지만, 매일 조금씩 실천하다 보니 어느새 목표에 도달해 있었어요. 도전하는 과정에서 얻은 자신감은 앞으로의 삶에서도 큰 힘이 될 거예요."

습관 형성을 위한 코칭 질문

1. 당신이 형성하고자 하는 습관은 무엇이며, 그 습관이 중요한 이유는 무엇인가요?

2. 이 습관을 통해 어떤 구체적인 변화를 기대하고 있나요?

3. 이 습관을 형성하기 위해 현재 일상에서 무엇을 변화시킬 수 있을까요?

4. 이 습관을 매일 실천하기 위한 최적의 시간과 장소는 언제, 어디인가요?

5. 이 습관을 시작하기 위한 작은 첫걸음은 무엇인가요?

6. 이 습관을 지속적으로 실천하기 위해 어떤 트리거(신호)를 설정할 수 있을까요?

7. 습관 실천을 기록하고 추적하기 위해 어떤 방법을 사용할 수 있나요?

8. 실천 과정에서 예상되는 장애물이나 도전 과제는 무엇이며, 이를 극복하기 위한 전략은 무엇인가요?

9. 이 습관을 실천했을 때 스스로에게 어떤 보상을 줄 수 있나요?

10. 정기적으로 자신의 진행 상황을 검토하기 위해 어떤 방법을 사용할 수 있나요?

　이 질문들을 통해 습관 형성의 각 단계를 구체화하고, 지속적으로 실천할 수 있는 환경을 조성할 수 있다. 챌린지 도중에 습관 형성이 잘되지 않는다고 생각되면 다시 질문에 답하는 시간을 가진다.

목표를 시각적으로 표현한다

목표 시각화는 **목표 자체를 시각적으로 표현하여 지속적인 동기 부여를 유지하는 방법**에 집중한다.

목표 시각화의 중요한 점은 첫째, 목표 시각화는 목표를 명확히 인식하고 구체화하는 데 도움을 준다. 둘째, 시각적 자극은 지속적인 동기 부여를 제공하여 목표 달성을 위한 노력을 유지하게 한다. 셋째, 목표 시각화는 성취감을 강화하여 자기 효능감을 증진하고, 긍정적인 자기 이미지를 형성하는 데 기여한다. 넷째, 목표를 시각적으로 표현하면 목표를 향한 집중력을 높이고, 행동 계획을 더 효과적으로 수행할 수 있다. 다섯째, 목표 시각화는 목표를 향한 진척 상황을 한눈에 파악하게 하여 지속적인 피드백과 조정이 가능하게 한다.

목표 시각화 전략

목표 시각화를 위한 핵심 5가지를 소개한다. 각 전략은 목표를 시각적으로 표현하여 목표 달성에 필요한 계획과 행동을 명확히 하고, 성취감을 높이는 데 도움을 준다. 이 중 자신에게 맞는 것을 한 가지 발견한다는 생각으로 살펴보자.

비전 보드 만들기

심리학자 리처드 메이어는 시각적 학습 도구가 학습 효과를 증대시킨다고 주장한다. 비전 보드는 목표를 시각적으로 표현하는 가장 일반적인 방법 중 하나다. 큰 보드나 코르크판을 준비하여 목표와 관련된 이미지, 글귀, 사진 등을 붙여 나만의 비전 보드를 만든다. 체중 감량 목표가 있다면, 건강한 음식 사진, 운동하는 사람들, 목표 체중에 도달한 자신의 상상 이미지를 포함할 수 있다. 비전 보드를 매일 볼 수 있는 장소에 두면 목표를 향한 동기 부여를 지속적으로 받을 수 있다.

목표 일기 작성

목표 일기는 목표 시각화의 또 다른 효과적인 방법이다. 매일 또는 매주 목표를 향한 진척 상황, 성과, 느낀 점 등을 기록한다. 글로 작성된 기록에 더해, 사진이나 그림을 추가하면 더욱 시각적으로 생생하게 기록할 수 있다. 목표 일기를 꾸준히 작성하면 목표 달성 과정에서의 성장과 변화를 시각적으로 확인할 수 있다. 목표 일기는 챌린지에 함께하는 참여자에게 강력하게 추천하는 항목이다. 처음엔 매일 같은 실천을 하는 것이라서 특별히 쓸 말이 없다고 하기도 하지만 막상 챌린지를 하는 동안 일기를 쓰시는 분들은 스스로 동기를 부여하고 지속해서 유지하는 데 가장 큰 도움을 받는 게 일기 쓰기라고 말한다. 챌린지 중간이라도 지금부터 일기 쓰기를 시작하자.

목표 달성 그래프 작성

진행 상황을 시각적으로 확인할 수 있는 그래프를 작성한다. 체중 감량 목표의 경우, 주간 또는 월간으로 체중 변화를 기록하여 그래프로 나타낸다. 매주 체중을 측정하고 그래프에 표시하면 목표에 얼마나 가까워졌는지를 한눈에 볼 수 있다. 이 그래프를 보는 것으로 성취감을 느끼게 하고 지속적인 동기 부여를 제공한다.

만보 걷기 100일 챌린지를 했던 때의 일이다. 내 스마트폰의 앱과 같이 걷던 친구의 스마트폰 앱이 달라 같은 길이를 걸어도 숫자가 달랐다. 내 휴대전화의 기준으로 만보를 걸었는데, 친구의 앱과 비교하니 거의 200보 이상 차이가 났다. 다른 사람들이 보기에는 사소한 차이일 수 있지만, 챌린지를 하는 도전자들에게는 이러한 차이가 큰 흥분과 기쁨을 준다. 자신이 힘들다고 생각한 것을 목표로 정하고 실천한 결과를 그래프와 숫자로 확인하는 과정에서 큰 성취감을 느끼기 때문이다.

디지털 도구 활용

스마트폰 앱이나 컴퓨터 소프트웨어를 사용하여 목표를 시각화한다. 예를 들어, 체중 감량 목표를 위해 피트니스 앱을 사용하여 운동 기록과 체중 변화를 시각적으로 추적할 수 있다. 목표를 설정하고 이를 달성하기 위한 계획을 작성한 후, 앱에서 제공하는 차트나 그래프를 통해 진행 상황을 시각적으로 확인한다. 디지털 도구는 접근성과 편리성이 높아 목표 시각화에 효과적이다.

마인드맵 활용

마인드맵은 목표 달성을 위한 구체적인 계획을 시각적으로 정리하는 데 도움이 된다. 중심에 목표를 적고, 목표 달성을 위한 세부 계획과 필요한 행동을 가지처럼 뻗어나가게 그린다. 예를 들어, 체중 감량 목표를 중심에 두고, 식단 관리, 운동 계획, 스트레스 관리 등 세부 항목을 추가하여 시각적으로 정리한다. 이를 통해 목표 달성을 위한 전체적인 그림을 쉽게 파악할 수 있다.

이와 같은 목표 시각화 전략을 통해 **목표를 명확히 인식하고 지속적인 동기 부여를 유지**할 수 있다. 목표를 시각적으로 표현함으로써 목표 달성의 가능성을 높이고, 지속력이 떨어질 때 큰 도움이 된다.

사례: 최동현 씨의 100일 동안 책 20권 읽기

10년 차 직장인 최동현 씨는 열심히 직장생활에 집중하며 살아왔다. 그러나 어느 순간 자신이 소진되는 느낌을 받았고, 곧 번 아웃이 올 것 같다고 말한 상황이었다. 챌린지 목표 설정을 위한 대화를 통해 100일 동안 20권의 책을 읽겠다는 도전을 세웠다. 동현 씨는 도전을 성공적으로 완수하기 위해 목표 시각화 전략을 적극 활용했다.

읽은 책 표지로 재구성

- 비전 보드 만들기

  동현 씨는 큰 보드에 100일 동안 읽을 20권의 책 표지 이미지와 각 책에서 얻고 싶은 교훈을 시각적으로 표현했다. 책 표지 외에도 독서 중 인상 깊은 구절을 적은 포스트잇과 관련된 이미지를 붙였다. 이를 통해 목표를 더욱 생생하게 시각화했다. 이 보드를 매일 볼 수 있는 책상 앞에 두어, 독서 목표를 상기하고 동기 부여를 지속적으로 받을 수 있었다. 출근 준비를 하면서나 업무 중 잠시 쉬는 시간에도 비전 보드를 보며 독서 목표를 되새겼다. 그리고 책 한 권씩을 다 읽을 때마다 책의 표지를 비전 보드에 붙였다.

- 목표 일기 작성

매일 저녁, 그날 읽은 책의 내용을 요약하고 느낀 점을 기록했다. 또한, 책의 인상 깊은 구절을 적고, 책을 통해 배운 점을 정리했다. 예를 들어, 한 비즈니스 서적에서 배운 효율적인 시간 관리 팁을 실제로 적용해 본 후기를 일기에 작성했다. 이를 통해 자신의 성장과 변화를 시각적으로 확인할 수 있었다. 일기에는 독서 중 떠오른 아이디어나 업무에 적용할 수 있는 팁도 기록하여, 실생활에 반영할 수 있도록 했다.

- 목표 달성 그래프 작성

주간으로 읽은 책의 수를 기록하여 그래프로 나타냈다. 매주 책을 읽은 진척 상황을 그래프에 표시하면서, 목표에 얼마나 가까워지고 있는지 한눈에 확인할 수 있었다. 이는 성취감을 느끼게 하고 지속적인 동기 부여를 제공했다. 그래프를 꾸밀 때 색상 코드를 사용하여, 각 책의 장르나 주제별로 구분하여 시각적으로 더 명확하게 표현했다.

- **디지털 도구 활용**

스마트폰의 독서 추적 앱을 사용하여 매일 읽은 페이지 수와 독서 시간을 기록했다. 앱의 차트와 그래프를 통해 진행 상황을 시각적으로 확인하고, 독서 목표를 달성하기 위한 계획을 구체적으로 관리했다. 앱에서 제공하는 리마인더 기능을 활용하여 매일 독서 시간을 알림으로 설정하고, 독서 기록을 소셜 미디어에 공유하여 친구들과 소통하며 동기 부여를 받았다. 독서 추적 앱을 사용하고 나서 아쉬운 점을 정리해 놓기까지 했다. 나중에 독서 기록 앱을 사용하면서 아쉬운 점을 정리하기도 했다.

- **마인드맵 활용**

각 책의 주요 내용을 마인드맵으로 정리하여, 책에서 배운 내용을 한눈에 파악할 수 있도록 했다. 예를 들어, 한 경영 서적에서 다룬 리더십 전략을 중심에 두고, 각 전략의 세부 내용을 가지처럼 뻗어나가게 그렸다. 이를 통해 독서 목표 달성을 위한 전체적인 그림을 쉽게 이해하고, 각 책의 내용을 체계적으로 정리할 수 있었다. 마인드맵을 사용하여 업무와 관련된 아이디어를 발전시키고, 실제 프로젝트에 적용해 보기도 했다.

최동현 씨의 한마디

"저는 원래 독서를 좋아했지만, 오랜 시간 독서의 즐거움을 잊고 있었어요. 독서를 안 하다가 하니까 습관이 되기까지 힘들었지만, 비전 보드에 다 읽은 책 표지를 하나씩 붙이면서 실천을 유지할 수 있었어요. 그것이 저에겐 마치 신의 한 수인 느낌이었습니다. 이번 100일 도전을 통해 책을 읽는 즐거움과 성취감을 다시 찾았습니다. 앞으로도 새로운 도전을 할 때 목표 시각화 방법을 적극 활용할 계획입니다."

목표 시각화를 위한 코칭 질문

1. 목표를 달성한 모습을 구체적으로 상상해 보세요. 그 순간을 시각적으로 표현할 단어나 이미지는 무엇인가요?

2. 목표를 달성한 모습을 사진이나 그림으로 표현한다면 어떤 모습인가요?

3. 목표 달성 후의 감정이나 기분을 한 단어로 표현하면 무엇인가요? 이를 시각적으로 어떻게 나타낼 수 있나요?

4. 목표 달성을 상징하는 이미지를 하나 선택한다면 무엇인가요? 그 이유는 무엇인가요?

5. 목표 달성 후 자신이 있을 장소나 환경을 시각화해 보세요. 이를 그림이나 사진으로 표현할 수 있나요?

6. 목표를 달성하는 과정을 영화의 한 장면처럼 상상해 본다면 그 장면은 어떻게 펼쳐지나요?

7. 목표를 달성하기 위한 주요 단계를 시각적으로 나타낸다면 어떤 그림이나 도표가 떠오르나요?

8. 목표를 달성한 모습을 상징하는 색깔이나 형태는 무엇인가요? 이를 시각적으로 표현해 보세요.

9. 목표를 이루기 위해 매일 해야 할 일들을 한눈에 볼 수 있게 시각적으로 정리한다면 어떻게 구성하시겠어요?

10. 목표를 달성한 미래의 모습을 그림이나 콜라주로 만들어보세요. 이를 통해 어떤 느낌이나 영감을 받으시나요?

　이 질문들은 목표를 구체적이고 시각적으로 명확하게 인식하도록 도와준다.

5

나만의 지원 시스템을 구축한다

목표를 달성하기 위해서는 개인의 노력뿐만 아니라, 외부의 지원도 필요하다. 지원 시스템은 목표 달성 과정에서의 어려움을 극복하고, 지속적인 동기 부여를 유지하는 데 중요한 역할을 한다.

지원 시스템의 중요한 점은 첫째, 지원 시스템은 목표 달성에 필요한 자원을 제공한다. 지식, 도구, 정보 등 다양한 자원을 통해 목표를 향한 과정을 더욱 효과적으로 진행할 수 있다. 둘째, 지원 시스템은 정서적 지지를 제공한다. 목표를 향한 과정에서 겪는 스트레스와 어려움을 극복하기 위해서는 정서적인 지지가 필요하다. 셋째, 지원 시스템은 동기 부여를 지속시키는 데 도움이 된다. 주변 사람들의 격려와 응원을 통해 목표에 대한 열정을 유지할 수 있다.

효과적인 지원시스템 전략

목표를 달성하는 과정에서 지원 시스템을 구축하는 것은 매우 중요하다. 개인의 의지만으로는 유지하기 어려운 동기 부여와 실천을 지속하기 위해서는 주변의 지원과 격려가 큰 도움이 된다. 나의 경우는 제시하는 항목을 모두 시도했다. 그리고 나만의 시스템을 구축하였다. 다음은 효과적인 지원 시스템을 구축하기 위한 전략이다.

가족과 친구의 지원 받기

가족과 친구는 가장 가까운 지지자다. 목표를 설정하고 이를 공유하면, 그들의 이해와 격려를 받을 수 있다. 가족과 친구에게 목표를 설명하고, 그들에게 격려와 조언을 요청하자. 예를 들어, 체중 감량 목표가 있다면, 가족과 함께 건강한 식단을 준비하고, 친구와 함께 운동하는 시간을 가질 수 있다. 이러한 사회적 지원은 목표 달성의 동기 부여를 높이고, 지속적인 실천을 가능하게 한다.

멘토링과 코칭 활용

멘토나 코치는 목표 달성에 필요한 조언과 지침을 제공할 수 있는 중요한 자원이다. 경험이 풍부한 멘토를 찾거나, 전문적인 코치의 도움을 받으면, 목표 달성의 효율성이 높아진다. 멘토나 코치는 목표 설정, 계획 수립, 진행 상황 점검 등 다양한 측면에서 유용한 피드백을 제공할 수 있다. 또한, 그들의 경험담과 성공 사례는 큰 영감을 줄 수 있다.

그룹 활동 및 클럽 가입

비슷한 목표를 가진 사람들과 함께 활동하는 것은 큰 동기 부여가 된다. 지역사회의 운동 클럽, 독서 모임, 학습 그룹 등 목표와 관련된 그룹에 가입하여 함께 활동하면, 혼자서 할 때보다 더 지속적으로 실천할 수 있다. 예를 들어, 마라톤을 준비하는 경우, 지역의 러닝 클럽에 가입하여 함께 훈련하는 것이 도움이 된다.

온라인 커뮤니티 참여

인터넷은 다양한 목표를 가진 사람들이 모이는 커뮤니티를 쉽게 찾을 수 있는 곳이다. 온라인 커뮤니티에 참여하여 비슷한 목표를 가진 사람들과 경험을 공유하고, 서로 격려하는 것이 좋다. 예들 들어, 체중 감량을 목표로 하는 경우, 관련 포럼이나 소셜 미디어 그룹에 가입하여 운동 팁, 식단 정보, 성과 등을 공유할 수 있다. 이러한 커뮤니티는 목표 달성에 필요한 정보와 동기 부여를 제공한다.

목표 공유 및 공개 선언

목표를 공개적으로 선언하면 책임감이 생기고, 이를 통해 실천을 지속할 수 있다. 소셜 미디어를 통해 목표를 선언하거나, 주변 사람들에게 목표를 알리면, 그들의 응원과 지지를 받을 수 있다. 목표를 공개적으로 선언함으로써 더 큰 책임감을 느끼게 되고, 목표 달성을 위해 더욱 열심히 노력하게 된다.

피드백과 조언 요청

목표를 달성하는 과정에서 주기적으로 피드백을 요청하는 것이 중요하다. 가족, 친구, 멘토 등에게 진행 상황을 보고하고, 그들의 피드백을 받아들여 개선할 점을 찾는다. 피드백은 목표 달성의 진척을 점검하고, 필요한 조정을 가능하게 한다. 또한, 다양한 시각에서 조언을 받으면 더 나은 전략을 수립할 수 있다.

동기 부여 파트너 찾기

비슷한 목표를 가진 동기 부여 파트너를 찾는 것도 좋은 방법이다. 서로의 진행 상황을 공유하고, 격려하며, 목표를 향해 함께 나아가는 것이다. 예를 들어, 체중 감량 목표가 있다면, 운동 파트너를 찾아 함께 운동하고, 식단 계획을 공유할 수 있다. 동기 부여 파트너와 함께하면, 어려운 순간에도 포기하지 않고 목표를 향해 나아갈 수 있다.

긍정적인 환경 조성

목표 달성을 위해 긍정적이고 지원적인 환경을 조성하는 것이 중요하다. 주변을 정리하고, 목표와 관련된 긍정적인 이미지나 문구를 눈에 잘 띄는 곳에 배치한다. 또한, 목표 달성에 방해가 되는 요소를 제거하고, 목표를 향한 집중력을 높이는 환경을 만든다. 예를 들어, 공부 목표가 있다면, 조용하고 정돈된 공부 공간을 마련하고, 자극이 되는 물건들을 치운다.

전문가의 도움 받기

필요한 경우 전문가의 도움을 받는 것도 좋은 전략이다. 예를 들어, 체중 감량 목표를 달성하기 위해 식단관리 전문가나 개인 트레이너의 도움을 받는 것이 효과적이다. 전문가의 조언과 지침은 목표 달성에 필요한 구체적인 방법을 제공하고, 더 빠르고 효과적인 결과를 끌어낼 수 있다.

정기적인 모임과 이벤트 참여

정기적인 모임이나 이벤트에 참여하여 동기 부여를 유지한다. 예를 들어, 마라톤 준비 중이라면, 지역의 마라톤 대회에 정기적으로 참가하여 목표를 확인하고, 실력을 점검할 수 있다. 이러한 모임과 이벤트는 목표 달성의 중간 지점에서 자신의 진행 상황을 점검하고, 동기 부여를 강화하는 좋은 기회다.

이와 같은 지원 시스템을 구축하면 목표 달성을 위한 지속적인 동기 부여와 실천을 유지하는 데 도움이 된다. 자신의 성향에 맞는 방법을 선택하여 자신만의 지원 시스템을 만들기를 바란다.

사례: 공인회계사(CPA) 시험 준비

공인회계사 시험을 준비하는 박지훈 씨는 지난 1년 동안의 시험 준비 경험을 통해 목표를 달성하는 과정에서 지원 시스템을 구축하는 것이 매우 중요하다는 것을 깨달았다. 개인의 의지만으로 유지하기 어려운 동기 부여와 실천을 지속하기 위해 주변의 지원과 격려가 큰 힘이 된다는 것을 알게 되었다. 박지훈 씨의 공인회계사 시험 준비를 위한 효과적인 지원 시스템 구축 사례를 살펴보자.

- **가족과 친구의 지원 받기**

  지훈 씨는 가족과 친구에게 CPA 시험 준비의 중요성과 어려움을 설명하고, 그들의 이해와 격려를 받았다. 가족과 함께 공부 시간을 정하거나, 친구와 학습 일정을 공유함으로써 사회적 지원을 통해 목표 달성의 동기 부여를 높이고 지속적인 실천을 가능하게 했다.

- **멘토링과 코칭 활용**

  지훈 씨는 CPA 시험에 합격한 선배나 전문가를 멘토로 찾아 조언을 구하고, 학습 전략을 배웠다. 또한, 전문적인 학습 코치의 도움을 받아 효율적인 공부 방법을 익혔다. 멘토와 코치는 목표 설정, 계획 수립, 진행 상황 점검 등 다양한 측면에서 유용한 피드백을 제공하여 지훈 씨의 학습에 큰 도움이 되었다.

- 그룹 활동 및 스터디 모임

  지훈 씨는 비슷한 목표를 가진 사람들과 함께 활동하는 것이 큰 동기 부여가 된다는 것을 알게 되었다. CPA 시험 준비생들을 위한 스터디 모임이나 학습 그룹에 가입하여 함께 공부하고, 서로의 지식을 공유하면서 혼자서 할 때보다 더 지속적으로 실천할 수 있었다.

자기에게 맞는 학습 스터디 모임 참여

- **온라인 커뮤니티 참여**

  지훈 씨는 CPA 시험 준비와 관련된 온라인 커뮤니티에 참여하여 비슷한 목표를 가진 사람들과 경험을 공유하고, 서로 격려했다. 관련 포럼이나 소셜 미디어 그룹에 가입하여 학습 팁, 자료, 성과 등을 공유함으로써 목표 달성에 필요한 정보와 동기 부여를 얻었다.

- **목표 공유 및 공개 선언**

  지훈 씨는 목표를 공개적으로 선언하면 책임감이 생기고, 이를 통해 실천을 지속할 수 있다는 것을 깨달았다. 소셜 미디어를 통해 CPA 시험 준비 목표를 선언하고, 주변 사람들에게 목표를 알림으로써 그들의 응원과 지지를 받았다. 목표를 공개적으로 선언함으로써 더 큰 책임감을 느끼게 되고, 목표 달성을 위해 더욱 열심히 노력했다.

- **피드백과 조언 요청**

  지훈 씨는 목표를 달성하는 과정에서 주기적으로 피드백을 요청했다. 가족, 친구, 멘토 등에게 진행 상황을 보고하고, 그들의 피드백을 받아들여 개선할 점을 찾았다. CPA 시험 준비 과정에서 진척 상황을 주기적으로 점검하고, 학습 전략을 조정함으로써 학습 효율을 높였다.

- 동기 부여 파트너 찾기

  지훈 씨는 비슷한 목표를 가진 동기 부여 파트너를 찾는 것도 좋은 방법이라는 것을 알았다. 서로의 진행 상황을 공유하고, 격려하며 목표를 향해 함께 나아갔다. 같은 CPA 시험 준비생과 함께 스터디 파트너가 되어 공부 일정을 공유하고, 시험 준비를 함께했다.

- 긍정적인 환경 조성

  지훈 씨는 목표 달성을 위해 긍정적이고 지원적인 환경을 조성하는 것이 중요하다는 것을 알았다. 주변을 정리하고, 목표와 관련된 긍정적인 이미지나 문구를 눈에 잘 띄는 곳에 배치했다. CPA 시험 준비를 위해 조용하고 정돈된 공부 공간을 마련하고, 자극이 되는 물건들을 치웠다.

- 전문가의 도움 받기

  지훈 씨는 필요한 경우 전문가의 도움을 받는 것도 좋은 전략이라는 것을 깨달았다. CPA 시험 준비를 위해 학원에 등록하거나, 과외를 받는 것이 효과적이었다. 전문가의 조언과 지침은 목표 달성에 필요한 구체적인 방법을 제공하고, 더 빠르고 효과적인 결과를 이끌어냈다.

- 정기적인 모임과 이벤트 참여

  지훈 씨는 정기적인 모임이나 이벤트에 참여하여 동기 부여를 유지했다. CPA 관련 세미나나 워크숍에 정기적으로 참가하여 목표를 확인하고, 학습 성과를 점검했다. 이러한 모임과 이벤트는 목표 달성의 중간 지점에서 자신의 진행 상황을 점검하고, 동기 부여를 강화하는 좋은 기회가 되었다.

이와 같은 지원 시스템을 구축하면, 목표 달성을 위한 지속적인 동기 부여와 실천을 유지하는 데 도움이 된다. 자신의 성향에 맞는 방법을 선택하여 자신만의 지원 시스템을 만들기를 바란다.

박지훈 씨의 한마디

"지원 시스템의 중요성을 깨닫고 적극 활용한 덕분에 목표를 달성할 수 있었습니다. 혼자서만 노력하는 것보다 주변의 도움과 격려가 얼마나 큰 힘이 되는지 다시 한번 느꼈습니다."

지원 시스템 구축을 위한 코칭 질문

1. 내 목표 달성에 가장 큰 도움이 될 수 있는 사람은 누구인가요?

2. 가족과 친구에게 어떤 지원을 요청할 수 있나요?

3. 전문가의 도움을 받기 위해 어떤 자원을 활용할 수 있나요?

4. 나의 멘토는 누구이며, 그들에게 어떤 조언을 구할 수 있나요?

5. 같은 목표를 가진 사람들과 어떻게 협력할 수 있나요?

6. 온라인 리소스와 도구를 활용하여 어떻게 지원 시스템을 구축할 수 있나요?

7. 정서적인 지원을 받기 위해 누가 나에게 가장 큰 힘이 되나요?

8. 어떤 그룹이나 커뮤니티에 참여하면 도움이 될까요?

9. 지원 시스템의 효과를 어떻게 평가하고 개선할 것인가요?

10. 나의 지원 시스템을 지속적으로 유지하기 위해 어떤 노력을 할 것인가요?

이 질문들을 통해 지원 시스템을 효과적으로 구축하고, 목표 달성을 위한 다양한 지원을 받을 수 있다. 지원 시스템이 잘 구축되면 목표를 향한 도전이 더 수월해지고, 지속적인 동기 부여와 성취감을 느낄 수 있을 것이다. 나만의 지원 시스템을 만들어 보자.

6

시간을 효율적으로 관리한다

시간 관리는 주어진 시간을 효율적으로 사용하여 목표를 이루기 위한 필수적인 기술이다. 목표를 달성하려면 시간 관리를 효과적으로 하는 것이 중요하다.

시간 관리는 일상의 활동에 챌린지를 추가하게 되는 것이라 중요성이 드러난다. 몇 가지만 말하자면, 첫째, 시간 관리는 생산성을 높인다. 주어진 시간을 최대한 효율적으로 사용하면 더 많은 일을 할 수 있다. 둘째, 시간 관리는 스트레스를 줄인다. 계획된 시간 내에 일을 완료하면 불필요한 스트레스를 줄일 수 있다. 셋째, 시간 관리는 목표 달성을 돕는다. 체계적인 시간 관리는 목표를 향한 과정을 명확하게 하고, 단계적으로 이루어질 수 있도록 돕는다.

효과적인 시간 관리 전략

100일 챌린지를 성공적으로 완료하기 위해서는 자기에게 주어진 시간을 효과적으로 관리하는 것이 필요하다. 다음은 100일 챌린지 동안 시간 관리를 잘할 수 있는 주요 전략들이다.

목표 설정과 우선순위 파악

100일 챌린지를 시작할 때, 명확한 목표를 설정하고 이를 기반으로 우선순위를 파악하는 것이 중요하다. 일일, 주간, 월간 목표를 설정하고, 각 목표의 중요도와 긴급도를 기준으로 우선순위를 정한다. 예를 들어, 매일 30분씩 운동하기, 주간 5일 독서하기, 매달 3 kg 감량하기 등으로 목표를 구체화한다. 이를 통해 가장 중요한 작업에 집중할 수 있고, 목표 달성을 위한 체계적인 계획을 세울 수 있다.

일정 관리 도구 활용

효율적인 시간 관리를 위해 일정 관리 도구를 활용하는 것이 좋다. 디지털 캘린더, 플래너, 투두 리스트 앱 등을 사용하여 일정을 체계적으로 관리할 수 있다. 구글 캘린더, 마이크로소프트 아웃룩, 네이버 캘린더 등의 캘린더 앱을 사용하면 일정을 쉽게 관리하고, 알림 기능을 통해 중요한 일을 놓치지 않을 수 있다. 일정 관리 도구는 자신과 특성이 맞아야 하므로 몇 개를 시도해 보고 적합한 것을 찾으면 챌린지 이후에도 계속 사용할 수 있다.

나는 오랜 시간 캘린더 앱을 활용해 모든 일정을 관리하고 있다. 예정된 할 일도 캘린더의 날짜에 미리 입력해 놓고 처리하는 방식이다. 이렇게 10년이 넘게 캘린더로 통합 관리하고 있다. 매일 아침이나 전날 밤에 하루 일정을 미리 계획하고, 할 일을 확인하는 습관을 들이면 효과적이다.

시간 블록 기법 사용

시간 블록 기법은 일정한 시간을 특정 작업에 할당하여 집중력을 높이는 방법이다. 하루를 여러 개의 시간 블록마다 나누고, 각 블록마다 해야 할 일을 정한다. 예를 들어, 오전 7시부터 8시까지는 독서와 필사, 오후 6시부터 7시까지는 건강한 식사, 저녁 8시부터 9시까지는 글쓰기 시간 등으로 나눈다. 이 방법은 작업에 몰입할 수 있게 하며, 시간 낭비를 줄여준다. 자기 생활 방식에 맞게 유연하게 시간 블록 기법을 사용해서 챌린지 시간을 할당한다.

방해 요소 최소화

효율적인 시간 관리를 위해 방해 요소를 최소화하는 것이 중요하다. 100일 챌린지를 수행하는 동안, 스마트폰 알림을 끄고 불필요한 소셜 미디어 사용을 줄인다. 또한, 조용하고 집중할 수 있는 작업 환경을 조성한다. 집에서 연습할 때 가족이나 룸메이트에게 방해받지 않도록 협조를 구하고, 방해 요소를 제거하여 최대한 집중할 수 있는 환경을 만든다. 나는 업무 집중 시간을 오전 10시에서 11시로 정해 놓았다. 이 시간 동안에는 전화를 무음으로 하고 카카오톡 메시지에 응답하지 않는다. 상대방이 답답할 수도 있으므로 사전에 업무 관련자들에게 충분히 설명한다. 대부분은 이를 이해해 주고, 그들 역시 시도해 본다. 이 1시간의 업무 집중 시간은 평소 업무 생산성과 비교했을 때 적어도 3배 이상의 효과를 발휘한다.

휴식과 재충전 시간 확보

지속적인 생산성을 유지하기 위해서는 적절한 휴식과 재충전 시간이 필요하다. 포모도로 기법과 같은 시간 관리 기법을 사용하여 일정 시간 동안 집중적으로 일한 후, 짧은 휴식을 취한다. 예를 들어, 25분 동안 집중적으로 운동하고, 5분 동안 휴식하는 방법이다. 이는 집중력을 높이고, 피로를 줄이는 데 도움이 된다. 나의 경우는 집중이 잘될 때 몇 시간이고 컴퓨터 앞에서 작업하던 습관을 고쳐보려 하지만 쉽지 않았다. 그래서 50분 정도 집중해서 업무를 처리하고 10분 정도 휴식을 취하는 것으로 바꾸는 중이다.

목표 달성 진척 상황 점검

정기적으로 목표 달성 진척 상황을 점검하는 것이 중요하다. 주간 및 월간 리뷰를 통해 목표 달성 상태를 평가하고, 필요한 경우 계획을 조정한다. 매주 특정한 요일의 동일 시간에 주기적으로 한 주간의 성과를 돌아보고, 다음 주의 계획을 수정하는 시간을 갖는다. 이를 통해 목표 달성을 위한 진행 상황을 명확히 파악하고, 시간 관리를 더욱 효과적으로 할 수 있다.

생산성 도구 활용

생산성을 높이는 다양한 도구를 활용하여 시간 관리를 최적화한다. 프로젝트 관리 도구를 사용하여 프로젝트를 체계적으로 관리하고, 진행 상황을 시각적으로 확인할 수 있다. 또한, Focus To-Do 같은 모바일 앱에서 포모도로 타이머를 사용하면 시간 관리와 집중력 향상에 도움이 된다. 나는 이 생산성 도구를 지나치게 열심히 사용하려다가 오히려 피로감을 느끼는 챌린저를 많이 봤다. 자신에게 맞는 적정한 기능을 두 가지만 선택해서 사용하길 권한다. 100일 챌린지를 관리하기엔 충분하다.

이와 같은 시간 관리 전략을 통해 100일 챌린지를 성공적으로 마칠 수 있다. 체계적인 시간 관리는 생산성을 높이고, 실천을 유지하는 데 큰 도움이 된다.

사례: 이성민 씨의 AI를 주제로 블로그 포스트 100일

30대 AI 개발자인 이성민 씨는 지금까지 소셜 미디어를 하면서 다른 사람의 글을 보았지만, 직접 작성해서 글을 올린 적은 없었다. 최근 AI 개발자 모임에서 자신이 아는 부분을 설명할 일이 있었는데, 모두를 이해하기 쉽게 잘 설명해 주었다는 칭찬을 들었다. 이 경험을 바탕으로 이성민 씨는 100일 동안 블로그에 AI 개발 스토리를 포스팅하는 100일 챌린지에 도전하기로 결심했다.

- **목표 설정과 우선순위 파악**

  처음에 성민 씨는 하루 1시간만 블로그 글쓰기에 소요하면 충분할 것이라고 예상했다. 그러나 실제로 글을 쓰기 시작하니 1시간으로는 부족하다는 것을 깨달았다. 그래서 하루 2시간을 블로그 글쓰기에 할애하고 나머지 시간 동안 다른 업무를 처리하기로 했다. 이를 위해 일일, 주간, 월간 목표를 설정하고 각 목표의 중요도와 긴급도를 기준으로 우선순위를 정했다. 블로그 포스팅은 1급 우선순위로 두고, 다른 업무와 일정을 효율적으로 조정했다.

- **일정 관리 도구 활용**

  성민 씨는 노션 앱을 사용하여 일정을 체계적으로 관리하기로 했다. 챌린지를 시작하면서 쓰기 시작한 노션 앱을 매우 유용하게 활용하였다. 조사한 내용이나 아이디어가 떠오르면 노션 앱에 일단 기록을 남겼다. 이렇게 남긴 아이디어 기록은 보물창고를 하나 만든 것 같았다. 매일 쓰다 보니 가끔 아이디어가 떠오르지 않을 때 지난 기록을 뒤적이면 새로운 영감이 떠올랐다.

블로그에 올리기 전 노션 앱에서 문법 정리까지 마친 원본을 만들어 놓고 블로그와 다른 소셜 미디어에도 올릴 수 있었다.

매일 전날 밤에 다음날 쓸 내용을 확인하는 습관을 들였고 이 도구를 통해 주제와 시간, 분량을 체계적으로 일정을 관리했다. 초기에는 습관이 잘 들지 않아 시간을 놓치는 경우가 많아 알림 기능을 통해 중요한 일정을 놓치지 않도록 하였다.

> ‹ (블로그)AI 포스트 주제 후보 ⬆ 💬 ⋯
>
> ⊕ 아이콘 추가   🖼 커버 추가   💬 댓글 추가
>
> ## (블로그)AI 포스트 주제 후보
>
> - 인공지능(AI)이란 무엇인가?
> - 머신러닝과 딥러닝의 차이점
> - AI 모델 학습 방법
> - AI 윤리 문제
> - TensorFlow 및 PyTorch 비교
> - OpenAI API 활용
> - 자연어 처리(NLP) 라이브러리
> - 컴퓨터 비전(CV) 라이브러리
> - AI 기반 추천 시스템
> - 챗봇 개발
> - AI 기반 데이터 분석
> - AI 개발 로드맵
> - AI 관련 온라인 강의
> - 이미지 생성 AI
> - AI 관련 도서 추천
> - Generative AI
> - AI 규제 동향
> - AI 관련 직업
>
> 🏠   🔍   🔔   ✍

- **시간 블록 기법 사용**

  성민 씨는 시간 블록 기법을 사용하였다. 오전 7시부터 8시 까지는 출근하는 동안 웹툰을 보던 습관을 고치고 블로그에 쓸 자료를 조사하거나 유사한 블로그를 리뷰하며 시간을 활용했다. 본격적으로 블로그 글을 쓰는 시간은 규칙적으로 저녁 퇴근 후 8시부터 10시이다. 이 방법은 작업에 몰입할 수 있게 하여 시간 낭비를 줄여주었다.

- **방해 요소 최소화**

  블로그 글쓰기 시간 동안에는 스마트폰 알림을 끄고 불필요한 소셜 미디어 사용을 줄였다. 스마트폰은 다른 방에 두고 조용히 집중할 수 있는 작업 환경을 조성하고, 가족이나 동료에게 방해받지 않도록 협조를 구했다. 아이가 어려 글을 쓰는 동안 방에 들어오지 못하게 하는 것도 처음에는 낯선 행동이었다. 방해 요소를 최소화하고 집중력을 높일 수 있었다.

- **휴식과 재충전 시간 확보**

  지속적인 생산성을 유지하기 위해 집중적으로 일한 후 짧은 휴식을 취했다. 25분 동안 집중적으로 글을 쓰고 5분 동안 휴식하는 방법을 사용했다. 연습이 되면서 자연스럽게 집중과 휴식의 리듬을 익힐 수 있었다. 또한, 충분히 자려고 노력했다. 충분한 수면은 글쓰기에 집중력을 높이고 피로를 줄이는 데 도움이 되었다.

- ## 목표 달성 진척 상황 점검

정기적으로 목표 달성 진척 상황을 점검하는 것이 중요했다. 매주 일요일에 한 주간의 블로그 포스트를 점검하고, 다음 주의 계획을 수정하는 시간을 가졌다. 이를 통해 글의 진행 상황을 명확히 파악하고, 시간 관리를 더욱 효과적으로 할 수 있었다. 한 주간 올라간 블로그 내용을 보고 동료들로부터 받은 피드백을 이때 함께 점검하고 주제도 유연하게 변경해 가며 포스트 했다. 회사 프로젝트에서 목표 달성을 위한 진척 상황을 점검하는 것처럼 챌린지에서 하는 글쓰기도 마찬가지로 이 과정이 필요하다는 것을 다시금 느꼈다.

이성민 씨의 한마디

"100일 챌린지를 통해 블로그에 AI 개발 스토리를 공유하면서 많은 것을 배웠습니다. 시간이 얼마나 소중한지 깨닫고, 효율적으로 관리하는 법을 익히게 되었습니다. 한 번도 해보지 않은 새로운 도전을 할 때는 시간 관리가 정말 중요하다는 것을 알게 되었고, 이를 통해 더 큰 성장을 이룰 수 있었습니다."

시간 관리를 위한 코칭 질문

1. 나의 목표를 달성하기 위해 하루 중 가장 중요한 시간대는 언제 인가요?

2. 시간 관리를 위해 내가 사용하는 도구와 방법은 무엇인가요?

3. 매일의 할 일 목록을 어떻게 효과적으로 작성하고 관리할 수 있 나요?

4. 내가 자주 낭비하는 시간은 언제이며, 이를 어떻게 줄일 수 있나 요?

5. 우선순위를 설정할 때 어떤 기준을 사용하나요?

6. 시간 관리에서 가장 큰 도전은 무엇이며, 이를 어떻게 극복할 것 인가요?

7. 시간을 효율적으로 사용하기 위해 어떤 일정을 수정해야 하나요?

8. 정해진 시간 내에 업무를 완료하기 위해 어떤 방법을 사용할 수 있나요?

9. 휴식 시간을 계획에 포함하기 위해 어떤 방법을 사용할 것인가 요?

10. 시간 관리의 효과를 어떻게 평가하고 개선할 것인가요?

이 질문들을 통해 자신의 시간 관리 방식을 개선하고, 목표 달성 을 위한 효율적인 시간 사용 방법을 마련할 수 있다. 시간을 체계적 으로 관리하면 더 많은 성과를 올리고, 목표를 더욱 효과적으로 달 성할 수 있을 것이다.

긍정 마인드와 유연한 태도를 유지한다

100일 챌린지를 하는 동안 긍정 마인드와 유연한 태도는 변화와 불확실성을 수용하고, 상황에 맞게 계획을 조정하며, 스트레스를 관리하는 데 큰 도움이 된다. 실제 챌린지를 진행하면서 긍정적인 성향의 참가자가 어려움에서 빠져나올 때 훨씬 유연한 것을 많이 경험하였다.

긍정 마인드와 유연한 태도를 유지해야 하는 중요한 이유는 첫째, 유연한 태도는 변화에 대한 적응력을 높인다. 목표 달성 과정에서 예상치 못한 변화나 장애물이 발생할 때, 유연한 태도를 가진 사람은 이를 수용하고 적절하게 대응할 수 있다. 둘째, 긍정마인드는 스트레스를 줄이는 데 도움이 된다. 변화에 적응하고, 계획을 조정하는 능력은 스트레스 수준을 낮추고, 정신적 안정을 유지하게 한다. 셋째, 유연한 태도는 창의성을 촉진한다. 다양한 상황에서 유연하게 대처하는 과정에서 새로운 아이디어와 해결책을 찾을 수 있다.

긍정 마인드와 유연한 태도 유지 전략

100일 챌린지를 성공적으로 수행하기 위해서는 유연한 마인드와 태도를 유지하는 것이 필수적이다. 이러한 **유연함은 중도에 포기하지 않고 목표를 달성하는 데 큰 도움**이 된다.

목표 조정의 필요성

100일 챌린지를 시작할 때 세운 목표는 시간이 지나면서 상황에 따라 수정이 필요할 수 있다. 유연한 태도를 유지하려면 목표가 현실적이고 달성 가능한지 지속적으로 평가해야 한다. 상황에 따라 목표를 조정하는 것은 실패가 아니라 성장과 적응의 과정으로 이해해야 한다. 매일 2시간씩 운동을 목표로 했지만, 업무나 개인적인 사정으로 인해 시간이 부족하다면, 이를 1시간으로 조정하는 것이 더 현실적일 수 있다.

계획의 유연성

고정된 계획보다는 유연한 계획을 세우는 것이 중요하다. 일일, 주간, 월간 계획을 세울 때 너무 세부적이고 엄격한 계획보다는 어느 정도의 여유를 두는 것이 좋다. 이렇게 하면 예상치 못한 상황이 발생했을 때도 계획을 조정할 수 있는 여지가 생긴다. 주간 운동 계획을 세울 때 특정 요일에 운동을 못 했을 경우를 대비해 다른 요일에 보충할 수 있도록 여유 시간을 마련하는 것이다.

실패에 대한 긍정적인 시각

챌린지 도중 예상치 못한 어려움으로 목표를 완전히 이루지 못할 때도 있다. 이때 실패를 부정적으로만 보지 않고 긍정적인 시각으로 바라보는 것이 중요하다. 실패는 배우고 성장할 기회로 삼아야 한다. 다이어트 챌린지 도중에 식단을 지키지 못한 날이 있었다면, 그 이유를 분석하고 다음에 더 잘할 수 있는 방법을 찾는 것이다.

자기 성찰과 피드백

정기적으로 자신의 진행 상황을 점검하고 피드백을 받는 것이 중요하다. 자기 성찰을 통해 무엇이 잘 되었고 무엇이 부족했는지 파악하고, 이를 바탕으로 계획을 수정한다. 매주 일요일 저녁에 한 주간의 성과를 돌아보고, 다음 주의 계획을 수정하는 시간을 갖는 것이다. 피드백은 자신의 목표를 달성하는 데 중요한 역할을 한다.

환경 변화에 대한 적응력

환경 변화는 언제든지 일어날 수 있다. 이를 잘 대처하기 위해서는 높은 적응력이 필요하다. 날씨나 건강 상태 등의 이유로 야외 운동을 할 수 없게 되었을 때, 실내 운동으로 대체하는 것이다. 이러한 적응력은 유연한 태도의 핵심이다.

멀티태스킹과 우선순위 관리

멀티태스킹을 잘하려면 우선순위를 명확히 하는 것이 중요하다. 중요한 일과 급한 일을 구분하고, 우선순위에 따라 일을 처리하면 스트레스를 줄이고 목표를 효과적으로 달성할 수 있다. 직장 업무와 개인 챌린지를 병행할 때, 중요한 회의나 마감일이 있는 업무를 먼저 처리하고 남은 시간을 챌린지에 투자하는 것이다.

긍정적인 마인드셋 유지

유연한 태도를 유지하려면 긍정적인 마인드셋이 필수적이다. 긍정적인 생각은 어려운 상황에서도 낙관적으로 대처할 수 있게 해준다. 예상치 못한 일로 인해 계획이 변경되었을 때 "이 또한 나의 성장 과정이다"라고 생각하는 것이다.

사례: 김지혜 씨의 서울 마라톤 10km 도전

　50대 김지혜 씨는 25년간의 직장생활을 마치고 퇴직한 상황이다. 오랜 직장생활 동안 많은 것을 이뤘지만, 새로운 인생을 시작하는 데 대한 두려움이 엄습해 밤잠을 설치기도 했다. 매일 아침 일찍 일어나 출근하지 않아도 되는 자유를 얻었지만, 오랜 습관이 몸에 배어 낯설고 적응이 잘되지 않았다. 친구의 권유로 서울 마라톤 10km에 도전하기로 했을 때, 김지혜 씨는 다시 전투력이 불붙는 것을 느꼈다. 그러나 몸이 마음처럼 따라주지 못하는 일이 생겼고, 이때 코칭을 통해 유연한 태도를 유지하는 것이 중요하다는 것을 이해했다.

마라톤 10km 도전

- **목표 조정의 필요성**

  지혜 씨는 운동을 30일 단위로 목표를 다르게 세웠다. 처음 30일은 5km로 시작하기로 했지만, 몸 상태가 따라주지 않자, 목표를 조정했다. 마라톤 준비 동호회의 동료들의 조언을 받아들여 처음에는 3km, 이후 5km, 점차 거리를 늘려가는 방식으로 목표를 수정했다. 이렇게 유연하게 목표를 조정한 덕분에 지혜 씨는 몸의 부담을 줄이고, 점차 체력을 키워나갈 수 있었다.

- **계획의 유연성**

  고정된 계획보다는 유연한 계획을 세우는 것이 중요했다. 지혜 씨는 일일, 주간, 월간 계획을 세울 때 너무 엄격한 계획보다는 어느 정도의 여유를 두었다. 주간 운동 계획을 세울 때 특정 요일에 운동을 못 했을 경우를 대비해 다른 요일에 보충할 수 있도록 여유 시간을 마련했다. 이를 통해 예상치 못한 상황이 발생했을 때도 계획을 조정할 수 있는 여지가 생겼다. 100일 동안 몇 번 발생했는데 미리 계획을 세워놔서 운동을 못 한 날 마음의 조급함이 사라졌다.

- **실패에 대한 긍정적인 시각**

  마라톤 연습 도중 예상치 못한 어려움으로 목표를 완전히 이루지 못할 때도 있었다. 지혜 씨는 이를 부정적으로 보지 않고 긍정적인 시각으로 바라봤다. 예를 들어, 훈련 도중 다리 통증이 생겨 며칠간 쉬어야 했을 때, 이를 배우고 성장할 기회로 삼았다. 새로 알게 된 마라톤 동료들의 도움을 받아 적절한 스트레칭과 휴식을 취하며 회복에 집중했다. 그리고 마라톤에 관한 책을 읽고 영화를 보며 단순히 잘 뛰는 것보다 자기가 마라톤을 왜 하려는지 되짚어 보는 시간도 가졌다.

- **자기 성찰과 피드백**

정기적으로 자신의 진행 상황을 점검하고 피드백을 받는 것이 중요했다. 지혜 씨는 매주 일요일 저녁에 한 주간의 성과를 돌아보고, 다음 주의 계획을 수정하는 시간을 가졌다. 기록한 연습 일지를 점검하고, 무엇이 잘 되었고 무엇이 부족했는지 파악해 개선점을 찾았다. 다치지 않고 안전하게 연습하고 싶다는 마음이 강했기 때문에, 기록을 통해 점검하는 것의 중요성을 새삼 깨달았다. 이를 통해 무리하지 않고 연습하겠다는 마음을 가지게 되었다.

- **환경 변화에 대한 적응력**

환경 변화는 언제든지 일어날 수 있었다. 날씨나 건강 상태 등의 이유로 야외 운동을 할 수 없게 되었을 때, 지혜 씨는 실내 운동으로 대체했다. 실내 트레드밀에서 달리거나, 홈트레이닝 동영상을 보며 운동을 이어갔다. 이러한 적응력은 유연한 태도의 핵심이었다.

- 멀티태스킹과 우선순위 관리

퇴직 후 새롭게 생긴 여유 시간을 잘 활용하기 위해 멀티태스킹과 우선순위 관리가 필요했다. 중요한 일과 급한 일을 구분하고, 우선순위에 따라 일을 처리함으로써 스트레스를 줄이고 목표를 효과적으로 달성할 수 있었다. 건강 관리와 마라톤 연습을 병행하며 다른 생활 일정과도 균형을 맞췄다. 마라톤 연습을 시작한 초기에는 시간과 거리에 무리하며 다른 일정을 등한시한 적도 있었다. 그러나 점차 시간을 관리하며 균형을 맞춰갔다.

- 긍정적인 마인드셋 유지

유연한 태도를 유지하려면 긍정적인 마인드셋이 필수적이었다. 지혜 씨는 예상치 못한 일로 인해 계획이 변경되었을 때 **"이 또한 나의 성장 과정이다."** 라고 생각하며 긍정적인 생각을 유지했다. 그리고 평소 올림픽 육상 경기를 즐겨 보며 결승선에서 환희에 찬 선수들의 모습에 감탄했고, 그 장면에 자기 자신을 넣어서 결승선에 들어오는 모습을 끊임없이 떠올렸다. 어려운 상황에서도 낙관적으로 대처할 수 있게 해주는 긍정적인 마인드셋 덕분에 지혜 씨는 포기하지 않고 끝까지 도전할 수 있었다.

김지혜 씨의 한마디

"이번 100일 챌린지를 매일 꾸준히 시간을 투자하면서도 스트레스를 잘 관리하고, 필요할 때는 계획을 유연하게 조정하는 과정에서 많은 것을 배웠습니다. 인생의 2막을 열며 자신감을 얻었고, 무엇보다 자신을 믿고 도전하는 것이 얼마나 큰 힘이 되는지 알게 되었습니다."

긍정 마인드와 유연한 태도를 위한 코칭 질문

1. 목표 달성 과정에서 예상치 못한 변화에 어떻게 대처할까요?

2. 실패나 좌절을 겪었을 때 나의 반응은 어떠한가요?

3. 계획이 변경될 때 스트레스를 최소화하기 위해 어떤 방법을 사용할 수 있나요?

4. 유연한 태도를 유지하기 위해 어떤 사고방식을 가져야 할까요?

5. 어떤 상황에서 유연성이 가장 많이 요구될까요?

6. 유연한 태도로 목표를 재조정할 때 고려해야 할 요소는 무엇인가요?

7. 변화에 적응하기 위해 어떤 새로운 기술이나 지식을 배워야 하나요?

8. 스트레스를 관리하고 마음의 평정을 유지하기 위해 어떤 방법을 사용할 수 있나요?

9. 어려운 상황에서 긍정적인 면을 찾기 위해 어떤 질문을 할 수 있나요?

10. 유연한 태도를 강화하기 위해 일상에서 실천할 수 있는 작은 행동은 무엇인가요?

이 질문들을 통해 유연한 태도를 유지하고, 변화와 도전에 효과적으로 대응할 방법을 모색할 수 있다. 유연한 태도를 통해 목표 달성 과정에서 발생하는 다양한 상황에 긍정적으로 대처할 수 있을 것이다.

8

정기적인 피드백을 받으며 개선한다

100일 챌린지를 하는 동안 문득 외로움을 느끼거나, "이렇게까지 열심히 해야만 하는 걸까?"라는 생각이 든다. 열심히 할수록 이런 생각이 더 강해질 수 있다. 이때, 정기적인 피드백을 통해 자신의 성과와 진행 상황을 평가하고 필요한 조정을 하면 목표에 더 가까워지는 방법을 명확히 알 수 있다. 이는 부정적인 생각을 줄이는 데 도움이 된다.

정기적인 피드백은 몇 가지 이유로 중요하다. 첫째, 피드백은 현재의 진행 상황을 객관적으로 평가하게 한다. 주기적으로 성과를 점검하면 목표 달성에 얼마나 가까워졌는지 확인할 수 있다. 둘째, 피드백은 필요한 개선 사항을 식별하고 계획을 조정하는 데 도움을 준다. 이를 통해 더 효율적으로 목표를 향해 나아갈 수 있다. 셋째, 피드백은 동기 부여를 유지하는 데 중요하다. 긍정적인 피드백은 자신감을 높이고, 부정적인 피드백은 개선의 기회를 제공한다.

정기적인 피드백 전략

100일 챌린지를 성공적으로 완료하기 위해서는 정기적인 피드백이 중요한 역할을 한다. 피드백을 통해 자신의 성과와 진행 상황을 평가하고, 필요한 조정을 통해 목표에 더 가까워질 수 있다. 이는 목표 달성 과정에서 부정적인 생각을 줄이고 지속적인 동기 부여를 유지하는 데 도움이 된다. 다음은 100일 챌린지를 수행하는 동안 정기적인 피드백과 밀접한 전략들이다.

정기적인 성과 평가

100일 챌린지 동안 정기적인 성과 평가를 실시하는 것이 중요하다. 일일, 주간, 월간 단위로 자신의 성과를 평가하고, 목표 달성의 진척 상황을 점검한다. 이를 통해 목표에 얼마나 가까워졌는지 파악할 수 있으며, 필요한 경우 계획을 조정할 수 있다.

목표 달성의 가시화

정기적인 피드백을 통해 목표 달성의 과정을 가시화하는 것도 중요하다. 자신의 진행 상황을 시각적으로 나타내면 목표에 대한 명확한 그림을 그릴 수 있다. 예를 들어, 캘린더나 다이어리에 목표 달성의 진척 상황을 기록하고, 차트를 만들어 성과를 시각적으로 나타낸다.

피드백 루틴 설정

피드백 루틴을 설정하여 정기적으로 피드백을 받도록 한다. 매일 아침이나 저녁, 주간 회의, 월간 리뷰 등 정기적인 피드백 시간을 정하고 이를 철저히 지킨다. 피드백 루틴을 통해 피드백이 일상적인 습관이 되도록 한다.

외부 피드백 활용

자신의 성과를 객관적으로 평가하기 위해 외부 피드백을 활용하는 것도 좋다. 가족, 친구, 동료 등 주변 사람들에게 자신의 목표와 진행 상황을 공유하고, 그들의 피드백을 받는다. 외부 피드백은 자신의 성과를 객관적으로 평가하는 데 도움이 되며, 새로운 시각에서 문제를 바라볼 수 있게 한다.

자기 성찰과 개선

정기적인 피드백을 통해 자신의 성과를 평가하고, 이를 바탕으로 자기 성찰과 개선을 한다. 피드백을 받은 후에는 자신의 행동과 성과를 되돌아보고, 개선할 점을 찾아 이를 반영하는 것이 중요하다.

피드백 도구 활용

피드백을 효과적으로 관리하기 위해 다양한 피드백 도구를 활용할 수 있다. 예를 들어, 아사나(Asana) 같은 프로젝트 관리 도구를 사용하여 피드백을 기록하고 관리한다. 또한, 노션(Notion)과 같은 올인원 생산성 도구를 활용하여 피드백을 통합 관리할 수 있다.

작은 성취 축하

정기적인 피드백을 통해 작은 성취를 축하하는 것도 중요하다. 목표 달성 과정에서 작은 성취를 인정하고 축하하면 성취감을 높이고, 지속적인 동기 부여를 유지할 수 있다. 예를 들어, 주간 목표를 달성했을 때는 자신에게 작은 보상을 주거나, 가족과 친구들이 함께 축하하는 시간을 갖는다.

100일 챌린지를 성공적으로 수행하기 위해서는 정기적인 피드백이 필수적이다. 정기적인 피드백을 통해 자신의 성과와 진행 상황을 평가하고, 필요한 조정을 통해 목표에 더 가까워질 수 있다. 이는 목표 달성 과정에서 부정적인 생각을 줄이고, 지속적인 동기 부여를 유지하는 데 큰 도움이 된다. 체계적인 피드백 관리와 자기 성찰을 통해 100일 챌린지를 성공적으로 완수할 수 있다.

사례: 최유진 씨의 동화 작가 도전

20대 직장인 최유진 씨는 직장 생활 4년 차로 현재 회계 업무에 만족하지만, 어릴 때부터 꿈꿔왔던 동화 그리기와 글쓰기를 100일 동안 도전해 보고자 한다. 이번 챌린지를 통해 자신의 예술적 재능과 흥미를 확인하고, 재능을 발견한다면 동화 작가로서의 길을 걷고자 하는 강한 열망을 가지고 있다. 혼자 하는 것보다 정기적인 피드백을 받으며 동화 작가로서의 가능성을 확인해 가는 과정을 통해 유진 씨는 새로운 발견을 하게 된다.

동화 작가 도전하기

- **성과 평가**

  유진 씨는 매일 퇴근 후 2시간씩 동화를 그리고 글을 쓰기로 결심했다. 자신이 좋아하는 동화의 그림체 4개를 찾아서 4주 동안 돌아가며 비슷하게 그려보기로 했다. 이를 통해 2주 만에 자신이 좋아하는 스타일을 명확히 파악하고, 나머지 2주는 다시 한번 반복해서 그려보았다. 유진 씨는 처음 계획에 매달리지 않고 필요에 따라 유연하게 계획을 조정했다. 매일 저녁 10분씩 자신의 작업을 평가하며 일일 성과를 기록하고, 주말마다 일주일 동안 그린 그림을 종합적으로 검토했다. 한 달이 끝날 때마다 월간 성과를 분석하여 다음 달의 계획을 세웠다.

- **목표 달성의 가시화**

  유진 씨는 캘린더와 다이어리를 활용하여 자신의 목표 달성 과정을 시각적으로 나타냈다. 매일 완성한 그림과 글을 사진으로 찍어 다이어리에 기록하고, 주간과 월간 차트를 만들어 성과를 시각화했다. 이를 통해 유진 씨는 목표에 얼마나 가까워졌는지 쉽게 파악할 수 있었고, 성취감을 느낄 수 있었다. 한 주가 지날 때마다 그림이 달라지고 있었다.

- **피드백 루틴 설정**

  유진 씨는 매일 저녁에 바로 그리기 시작하는 것이 아니라 전날 그린 그림을 다시 보며 10분 동안 전날의 성과를 평가했다 매주 일요일 아침에는 주간 목표와 그려놓은 그림을 보며 성과를 점검하는 시간을 가졌다. 월말에는 한 달 동안의 작업을 모두 꺼내어 종합적으로 검토하고, 다음 달의 계획을 세우는 루틴을 설정했다. 이러한 피드백 루틴을 통해 유진 씨는 피드백을 일상적인 습관으로 만들었다.

- **외부 피드백 활용**

유진 씨는 자신의 성과를 객관적으로 평가하기 위해 외부 피드백을 받기로 했다. 처음에는 피드백을 받는 것이 두렵고 망설여졌다. 하지만 반드시 넘어야 할 산이라고 생각하며 가족과 친구들에게 자신의 동화와 글을 공유하고, 그들의 솔직한 피드백을 받았다. 피드백에 대한 두려움이 사라진 후에는 온라인 동화 작가 동호회에 가입하여 다른 작가들의 피드백을 받으며 작품을 더욱 발전시켰다. 회원들로부터 긍정적인 응원과 격려를 받으며 자신의 그림을 세심하게 평가받을 수 있었다. 외부 피드백을 통해 유진 씨는 새로운 시각에서 자신의 작업을 바라볼 수 있었고, 개선점을 찾을 수 있었다.

- **자기 성찰과 개선**

유진 씨는 매주 주간 성과를 검토한 후 자기 성찰을 통해 개선점을 찾았다. 어떤 점이 잘 되었고, 어떤 점이 부족했는지를 분석하고, 이를 개선하기 위한 구체적인 계획을 세웠다. 예를 들어, 동화 그리기에서는 캐릭터의 표정과 배경 묘

사에 대한 피드백을 받고 이를 반영하여 더욱 생동감 있는 그림을 그리려고 노력했다. 글쓰기에서는 스토리의 흐름과 캐릭터의 대화를 개선하기 위해 피드백을 반영하여 작업을 이어갔다.

- **피드백 도구 활용**

  유진 씨는 노션(Notion)과 같은 프로젝트 관리 도구를 활용하여 피드백을 기록하고 관리했다. 피드백을 체계적으로 관리하고 필요할 때 쉽게 접근할 수 있도록 해서 퇴근길 지하철에서 읽으며 다음 작업을 생각했었다. 그리고 작업 과정을 매일 인스타그램에 올려 자기 계정에 들어가면 매일의 그림을 그린 기록은 물론이고 실력이 향상되어 가는 것을 시각적으로 파악할 수 있었다.

- **작은 성취 축하**

  유진 씨는 2주일마다 목표를 달성했을 때 작은 보상을 주기로 했다. 목표를 달성하면 좋아하는 카페에서 커피를 마시거나, 친구들과 함께 저녁 식사를 하며 성취감을 축하했다. 이러한 작은 보상은 유진 씨가 지속적인 동기 부여를 유지하는 데 큰 도움이 되었다.

최유진 씨의 한마디

"이번 100일 챌린지를 통해 동화 작가로서의 가능성을 발견할 수 있었습니다. 매일 꾸준히 시간을 투자하며 정기적인 피드백을 받는 과정에서 제 작업이 얼마나 성장했는지 확인할 수 있었고, 스트레스를 잘 관리하면서 목표를 달성할 수 있었습니다. 이번 경험을 통해 오랫동안 마음에 담아두기만 했던 꿈도 자신을 믿고 꾸준히 노력하면 이룰 수 있다는 것을 깨달았습니다."

정기적인 피드백을 위한 코칭 질문

1. 목표 달성을 위해 얼마나 자주 피드백을 받는 것이 이상적인가요?

2. 피드백을 받을 때 가장 중요한 것은 무엇인가요?

3. 받은 피드백을 어떻게 구체적인 행동 계획으로 전환할 수 있나요?

4. 피드백을 효과적으로 수용하기 위해 필요한 태도는 무엇인가요?

5. 자신의 성과를 객관적으로 평가하기 위해 어떤 기준을 사용할 수 있나요?

6. 피드백을 통해 반복적으로 나타나는 패턴이나 문제는 무엇인가요?

7. 피드백을 통해 내 강점을 어떻게 더욱 강화할 수 있나요?

8. 피드백을 통해 내 약점을 어떻게 개선할 수 있나요?

9. 피드백을 제공받을 때 가장 도움이 되었던 방식은 무엇인가요?

10. 정기적인 피드백을 통해 목표 달성에 어떤 긍정적인 변화가 있었나요?

이 질문들을 통해 정기적인 피드백의 중요성을 인식하고, 피드백을 효과적으로 활용하여 자신의 성과를 객관적으로 평가하고, 강점과 약점을 파악하여 더욱 효율적으로 목표를 향해 나아갈 수 있을 것이다.

9

스트레스를 받아들이고 관리한다

스트레스 관리는 100일 챌린지의 목표를 이루기 위한 핵심 요소이다. 목표를 향한 여정에서 스트레스는 자연스러운 반응이지만, 이를 효과적으로 관리하지 않으면 장애물이 될 수 있다.

스트레스 관리의 중요한 점은 첫째, 스트레스를 효과적으로 관리하면 정신적, 신체적 건강을 유지할 수 있다. 만성 스트레스는 다양한 건강 문제를 일으킬 수 있으므로, 이를 예방하는 것이 필수적이다. 둘째, 스트레스 관리는 목표 달성 능력을 향상한다. 스트레스를 관리하지 못하면 집중력과 생산성이 떨어져 목표 달성에 어려움을 겪게 된다. 셋째, 스트레스 관리는 삶의 질을 향상한다. 스트레스를 잘 관리하면 행복감과 만족도가 높아지고, 긍정적인 태도로 목표에 접근할 수 있다.

효과적인 스트레스 관리 전략

100일 챌린지는 목표를 달성하기 위한 긴 여정으로, 이 과정에서 다양한 스트레스를 경험할 수 있다. 스트레스를 효과적으로 관리하면 도중에 포기하지 않고 끝까지 지속할 수 있다. 다음은 100일 챌린지를 수행하는 동안 스트레스를 관리하기 위한 핵심 전략들이다.

스트레스 요인 파악

100일 챌린지를 수행하면서 발생하는 스트레스 요인을 파악하는 것이 중요하다. 어떤 상황에서 스트레스를 느끼는지 기록하고 분석한다. 예를 들어, 시간 부족, 과도한 업무, 목표 달성에 대한 압박감 등이 스트레스 요인일 수 있다. 스트레스 요인을 명확히 알면 이를 관리하고 극복할 수 있는 방법을 찾는 데 도움이 된다.

긍정적인 자기 대화

긍정적인 자기 대화는 스트레스를 관리하는 데 효과적이다. 챌린지 도중 어려운 상황이 발생할 때, 자신에게 긍정적이고 격려하는 말을 건네는 연습을 한다. "나는 이 챌린지를 성공적으로 완수할 수 있다", "오늘도 최선을 다하자"와 같은 긍정적인 말을 통해 자신감을 높이고 스트레스를 줄일 수 있다.

규칙적인 운동

운동은 스트레스를 해소하는 데 매우 효과적이다. 규칙적인 신체 활동은 엔도르핀 분비를 촉진하여 기분을 좋게 하고, 스트레스를 감소시킨다. 일주일에 최소 3회, 30분 이상 걷기, 달리기, 요가 등의 운동을 하도록 한다. 운동은 신체적 건강뿐만 아니라 정신적 건강에도 긍정적인 영향을 미친다. 100일 챌린지 도중 규칙적인 운동을 통해 스트레스를 관리하고, 지속적인 에너지를 유지할 수 있다.

효과적인 시간 관리

시간 관리는 100일 챌린지를 수행하는 동안 스트레스를 줄이는 데 중요한 요소다. 일일, 주간, 월간 계획을 세우고, 우선순위를 정하여 중요한 일부터 처리한다. 포모도로 기법을 활용하여 일정 시간 동안 집중적으로 일하고, 짧은 휴식을 취하는 것도 효과적이다. 효율적인 시간 관리를 통해 과도한 업무나 일정으로 인한 스트레스를 줄일 수 있다.

충분한 수면

수면 부족은 스트레스 수준을 높이는 주요 요인 중 하나다. 100일 챌린지를 성공적으로 수행하기 위해서는 충분한 수면이 필수적이다. 매일 일정한 시간에 잠자리에 들고, 충분히 자도록 한다. 수면의 질을 높이기 위해 잠자기 전에 전자기기 사용을 피하고, 편안한 환경을 조성하는 것이 중요하다. 충분한 수면을 통해 신체를 회복하고, 스트레스를 줄일 수 있다.

사회적 지원 활용

사회적 지원은 스트레스를 관리하는 데 큰 도움이 된다. 가족, 친구, 동료와 목표를 공유하고, 그들의 지지와 격려를 받는 것이 중요하다. 100일 챌린지를 함께 수행하는 동료나 친구와 경험을 공유하고, 서로 격려하는 것이 좋다. 사회적 지원을 통해 스트레스를 줄이고, 목표 달성에 대한 동기 부여를 유지할 수 있다.

이와 같은 핵심 스트레스 관리 전략을 통해 100일 챌린지를 성공적으로 수행할 수 있다. 체계적인 스트레스 관리는 목표 달성의 중요한 요소이며, 지속적인 열정과 동기 부여를 유지하는 데 큰 도움이 된다. 스트레스를 잘 관리하면, 목표를 향한 여정을 끝까지 이어 나갈 수 있다.

사례: 김준영 씨의 창업 아이템 구상

김준영 씨는 30대 직장인으로, 퇴사를 준비하며 창업 아이템 구상 및 사업 계획서 작성을 위해 매일 1시간씩 시간을 투자하고 있다. 100일 동안 매일 집중적으로 시간을 투자하고 싶어 하는 준영 씨는, 스트레스를 관리하며 목표를 달성하고자 했다. 다음은 준영 씨가 스트레스를 관리하며 100일 챌린지를 성공적으로 수행한 사례다.

창업 아이템 구상하기

• **스트레스 요인 파악**

100일 챌린지 도중, 준영 씨는 업무와 창업 준비를 병행하면서 시간 부족과 과도한 업무로 인한 스트레스를 느끼기 시작했다. 그는 이러한 스트레스 요인을 기록하고 분석했다. 주요 스트레스 요인은 직장에서의 업무 압박, 창업 준비의 불확실성, 시간 부족 등이었다.

- **긍정적인 자기 대화**

  준영 씨는 매일 아침 자신에게 긍정적인 말을 건네기로 했다. "나는 오늘도 완수한다.", "오늘도 최선을 다하자."와 같은 긍정적인 자기 대화를 통해 자신감을 높였다. 이러한 긍정적인 자기 대화는 그가 스트레스를 줄이고, 목표에 집중할 수 있도록 도와주었다.

- **규칙적인 운동**

  준영 씨는 일주일에 최소 3회, 30분씩 걷기 운동을 하기로 했다. 직장에서 퇴근한 후 십 근저 공원을 걷거나, 주말에는 하이킹을 하며 신체 활동을 늘렸다. 규칙적인 운동은 엔도르핀 분비를 촉진하여 기분을 좋게 하고, 스트레스를 감소시켰다.

- **효과적인 시간 관리**

  준영 씨는 포모도로 기법을 활용하여 창업 준비 시간을 관리했다. 매일 저녁 8시부터 9시까지 1시간을 창업 아이템 구상 및 사업 계획서 작성에 집중하기로 하고, 25분 동안 집중한 후 5분간 휴식하는 방식으로 시간을 관리했다. 이를 통해 그는 효율적으로 시간을 활용하며 스트레스를 줄일 수 있었다.

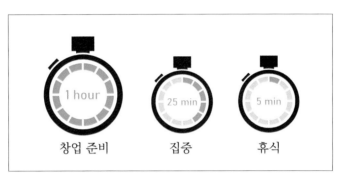

포모도로 기법 활용

• **충분한 수면**

수면 부족이 스트레스 지수를 높인다는 것을 인식한 준영 씨는 매일 밤 11시에는 잠자리에 들기로 했다. 충분히 자기 위해 잠들기 전 전자기기 사용을 피하고, 침실 환경을 편안하게 조성했다. 이러한 노력으로 신체를 회복하고, 스트레스를 줄이는 데 도움이 되었다.

• **사회적 지원 활용**

준영 씨는 가족과 친구들에게 자신의 100일 챌린지 목표를 공유하고, 그들의 지지와 격려를 받았다. 특히 창업 준비를 함께하는 친구와는 주기적으로 만나서 경험을 공유하고 서로 격려했다. 이러한 사회적 지원은 그가 스트레스를 줄이고, 목표 달성에 대한 동기 부여를 유지하는 데 큰 도움이 되었다.

김준영 씨의 한마디

"이번 100일 챌린지를 통해 스트레스 관리의 중요성을 깨달았습니다. 매일 꾸준히 시간을 투자하면서도 스트레스를 잘 관리한 덕분에 목표를 달성할 수 있었습니다. 모든 도전에는 어려움이 따르지만, 체계적인 스트레스 관리 전략을 세우고 자신의 스트레스 포인트를 파악하여 잘 관리하면 목표를 이룰 수 있을 것이라 확신합니다."

스트레스 관리를 위한 코칭 질문

1. 나의 목표를 달성하는 과정에서 가장 큰 스트레스 요인은 무엇인가요?

2. 스트레스를 받을 때 나의 신체적, 정서적 반응은 어떠한가요?

3. 스트레스를 관리하기 위해 현재 사용하고 있는 방법은 무엇인가요?

4. 나에게 가장 효과적인 스트레스 해소 방법은 무엇인가요?

5. 스트레스를 줄이기 위해 일상생활에서 어떤 변화를 줄 수 있나요?

6. 스트레스가 심해질 때 누구에게 도움을 요청할 수 있나요?

7. 스트레스를 예방하기 위해 미리 할 수 있는 준비는 무엇인가요?

8. 스트레스를 받을 때 나에게 긍정적인 영향을 주는 활동은 무엇인가요?

9. 스트레스 상황에서도 목표를 향해 나아가기 위해 어떤 마음가짐을 가져야 하나요?

10. 스트레스를 관리하기 위해 하루 중 어떤 시간을 활용할까요?

　이 질문들을 통해 자신의 스트레스 요인과 반응을 파악하고, 효과적인 스트레스 관리 방법을 찾을 수 있다. 스트레스를 체계적으로 관리하면 중간에 멈추고 싶은 유혹을 잘 견뎌내며, 목표를 향한 지속적인 열정과 동기 부여를 유지할 수 있다.

10

목표와의 정서적 연결을 강화한다

목표를 달성하기 위해서는 개인의 노력뿐만 아니라, 목표와의 정서적 연결도 필요하다. 정서적 연결은 목표 달성 과정에서의 어려움을 극복하고, 지속적인 동기 부여를 유지하는 데 중요한 역할을 한다.

목표와의 정서적 연결의 중요한 점은 첫째, 정서적 연결은 목표 달성에 대한 열정을 강화한다. 목표가 개인적으로 의미가 있을 때, 이를 향한 열정과 헌신이 높아진다. 둘째, 정서적 연결은 어려움을 극복하는 힘을 제공한다. 목표를 달성하는 과정에서 겪는 도전과 좌절을 극복하기 위해서는 강한 정서적 연결이 필요하다. 셋째, 정서적 연결은 지속적인 동기 부여를 유지하는 데 도움이 된다. 목표에 대한 깊은 감정적 연관은 목표 달성을 위한 지속적인 추진력을 제공한다.

목표와의 정서적 연결 전략

목표의 개인적 의미 찾기

목표가 개인적으로 의미가 있을 때, 동기 부여는 더욱 강해진다. 목표를 설정할 때, 이 목표가 자신의 삶에 어떤 의미가 있는지 깊이 생각해 본다. 체중 감량 목표가 단순히 외모를 개선하기 위한 것이 아니라, 건강을 유지하고 가족과 더 오래 함께하기 위한 것이라면 그 의미는 더욱 깊어진다. 목표의 개인적 의미를 명확히 하면, 실천 과정에서 발생하는 어려움을 극복하는 데 큰 도움이 된다.

목표 시각화

목표를 시각적으로 표현하면, 목표를 더 명확히 인식하고 동기 부여를 지속할 수 있다. 목표를 그림이나 사진으로 표현하거나, 비전 보드를 만들어 목표를 시각화한다. 비전 보드는 목표와 관련된 이미지, 글귀, 사진 등을 한 곳에 모아놓은 것으로, 매일 볼 수 있는 장소에 두면 목표를 지속적으로 상기시키는 데 도움이 된다. 목표를 달성한 모습을 상상하고 그 이미지를 머릿속에 그려보는 것도 유용하다.

감정 일기 작성

목표를 향한 여정에서 느끼는 감정들을 일기로 기록하면 목표와의 정서적 연결이 강화된다. 목표를 달성하면서 느끼는 기쁨, 좌절, 성취감을 기록하면 자신의 감정을 더 잘 이해하고 관리할 수 있다. 감정 일기를 통해 목표 달성 과정에서의 감정 변화를 인식하고, 긍정적인 감정을 강화할 수 있다. 이는 지속적인 동기 부여에 큰 도움이 된다.

긍정적인 자기 대화

긍정적인 자기 대화는 목표와의 정서적 연결을 강화하는 중요한 요소다. 자신에게 긍정적이고 격려하는 말을 자주 하도록 한다. "나는 할 수 있다", "오늘도 최선을 다하자"와 같은 긍정적인 말을 반복하면 자신감이 높아지고 동기 부여가 강화된다. 부정적인 생각이 들 때마다 긍정적인 생각으로 전환하는 연습이 필요하다. 이는 목표 달성 과정에서 긍정적인 에너지를 유지하는 데 큰 도움이 된다.

목표와 관련된 긍정적인 경험 공유

목표와 관련된 긍정적인 경험을 가족, 친구 또는 동료와 공유하면 목표와의 정서적 연결이 강화된다. 목표 달성 과정에서 느낀 작은 성취나 기쁨을 나누면, 목표를 향한 열정이 더욱 커진다. 주변 사람들의 격려와 지지를 받으면 목표 달성에 대한 의지가 강해지고, 실천을 지속할 힘이 생긴다.

목표 달성의 감정을 시각화

목표를 달성했을 때의 기쁨과 성취감을 시각적으로 표현해 본다. 목표를 달성한 순간을 상상하고, 그 순간의 감정을 그림이나 사진으로 표현한다. 이를 통해 목표 달성의 기쁨을 미리 체험하면, 목표를 향한 동기 부여가 더욱 강화된다. 또한, 이러한 시각적 표현은 목표 달성의 과정을 더 현실적으로 느끼게 해준다.

목표 달성의 이점 상기

목표를 달성함으로써 얻을 수 있는 이점을 자주 상기한다. 목표를 이루었을 때의 긍정적인 변화와 그로 인해 느낄 감정을 생각하면 실천을 지속하는 동기 부여가 강화된다. 목표 달성이 자신의 삶에 어떤 긍정적인 영향을 미칠지 구체적으로 상상하고, 이를 통해 목표와의 정서적 연결을 강화한다.

이와 같은 전략을 통해 목표와의 정서적 연결을 강화하면, 목표를 향한 열정과 헌신을 유지하고, 실천을 지속하여 성공적인 목표 달성을 이룰 수 있다. 정서적 연결은 단순한 동기 부여를 넘어, 목표를 더 의미 있고 가치 있게 만든다.

사례: 정수아 씨의 건강한 도시락 100일 도전

40대 정수아 씨는 오랜 직장생활 동안 사서 먹는 음식과 패스트푸드에 의존해 왔다. 이런 식습관은 점점 건강을 해치고 있다고 느끼게 하였고, 그녀는 건강을 더 잘 돌보기로 결심했다. 더 건강한 삶을 위해 정수아 씨는 100일 동안 건강한 레시피로 도시락을 싸서 회사에서 점심을 먹는 목표를 세웠다.

건강한 도시락 준비하기

- **목표의 개인적 의미 찾기**

  수아 씨는 이 목표가 단순히 체중 감량이나 외모 개선이 아
  닌, 자신의 전반적인 건강을 위한 것임을 깨달았다. 그녀는
  "이 목표는 나의 건강을 되찾고, 가족과 더 오래 건강하게
  지내기 위한 것이다"라고 생각했다. 이에 따라 목표에 대한
  의미가 더 깊어졌다.

- **목표 시각화**

  비전 보드를 만들어 주방에 두었다. 보드에는 건강한 도시락
  사진, 영양가 높은 재료들, 그리고 자신이 건강한 식습관을
  유지하는 모습을 상상하며 그린 그림들이 있었다. 매일 아침
  비전 보드를 보면서 동기 부여를 받았다.

- **감정 일기 작성**

  수아 씨는 매일 저녁 감정 일기를 작성했다. 도시락을 준비
  하면서 느낀 기쁨, 새로운 레시피를 시도하는 설렘, 그리고
  회사에서 도시락을 먹으면서 느끼는 만족감을 일기에 적었
  다. 또한, 때때로 **도시락 준비가 번거롭게 느껴질 때의 좌절
  감도 기록하여 자신을 더 잘 이해하고 관리**할 수 있었다.

- **긍정적인 자기 대화**

  매일 아침 자신에게 "나는 내 건강을 위해 최선을 다하고
  있어", "오늘도 건강한 도시락을 준비해서 기뻐"라고 긍정

적인 말을 하도록 노력했다. 이 과정은 그녀에게 자신감을 주고, 하루를 긍정적으로 시작하는 데 도움을 주었다.

- **목표와 관련된 긍정적인 경험 공유**

  수아 씨는 가족과 친구들에게 자신의 목표와 진척 상황을 공유했다. 가족은 그녀의 노력을 지지하고 응원해 주었고, 친구들은 건강한 레시피를 추천해 주기도 했다. 이러한 정서적 지원은 그녀가 목표를 향해 꾸준히 나아갈 수 있게 해주었다.

- **목표 달성의 감정을 시각화**

  수아 씨는 100일 목표를 달성했을 때의 자신을 상상했다. 건강한 몸과 활기찬 에너지를 가진 자기 모습을 머릿속에 그려보았다. 이 상상은 그녀에게 큰 동기 부여를 주었고, 힘든 순간에도 포기하지 않게 도와주었다.

- **목표 달성의 이점 상기**

  수아 씨는 건강한 도시락을 싸서 먹는 것이 체중 감량, 더 나은 피부 상태, 더 많은 에너지 등 다양한 이점을 가져다줄 것으로 생각했다. 이 이점들을 자주 상기하면서 목표를 이루기 위한 동기 부여를 유지했다.

정수아 씨의 한마디

"정서적 연결을 통해 목표를 더 의미 있게 만들고, 실천을 지속할 수 있었습니다. 건강한 도시락을 100일 동안 준비하고 먹으면서, 제 자신을 더 깊이 이해하고 돌볼 수 있게 되었어요. 이제 저는 더 건강한 삶을 살 자신이 생겼습니다. 모든 도전에는 마음과 감정이 함께해야 한다는 것을 배웠습니다."

목표와의 정서적 연결을 위한 코칭 질문

1. 이 목표가 당신에게 왜 중요한가요?

2. 목표를 달성했을 때의 기분은 어떨 것 같나요?

3. 목표를 달성함으로써 당신의 삶에 어떤 긍정적인 변화가 생길까요?

4. 목표를 달성한 후의 자신을 상상해 보세요. 그 순간을 그림이나 사진으로 표현한다면 어떻게 표현할 수 있을까요?

5. 이 목표를 이루기 위해 필요한 자원이나 지원은 무엇인가요?

6. 목표 달성 과정에서 예상되는 도전과 장애물은 무엇인가요? 이를 어떻게 극복할 계획인가요?

7. 목표를 달성했을 때의 기쁨을 누구와 나누고 싶으신가요?

8. 목표를 달성하는 과정에서 당신을 가장 많이 격려해 줄 사람은 누구인가요?

9. 목표 달성 후, 당신의 자신감이나 자존감에 어떤 변화가 있을 것 같나요?

10. 이 목표를 이루었을 때, 당신의 장기적인 꿈이나 비전에 어떤 영향을 미칠까요?

이 질문들을 통해 목표와의 정서적 연결을 더욱 강화할 수 있다. 목표를 향한 여정에서 동기 부여가 약해지거나 어려움을 느낄 때, 이 질문들에 다시 답변하면서 목표의 의미와 가치를 재확인해 보면서 앞으로 나아갈 수 있을 것이다.

3부.
100일 후, 새로운 시작을 위한 여정

3부. 100일 후, 새로운 시작을 위한 여정

1장. 목표 달성 후의 성찰

성공과 실패 경험을 통해 자신을 깊이 이해하고 앞으로 나아갈
방향을 설정한다.
100일간의 경험을 되돌아보며 더 큰 성장을 위한 발판을 마련한다.

2장. 미래 계획 수립

끊임없는 성장을 위해 미래 비전과 구체적인 전략을 수립한다.
챌린지 성공 경험을 바탕으로 다음 목표를 계획하고 필요한
정보를 수집한다.

3징. 실패 후, 재도진

실패를 두려워하지 않고, 이를 통해 배우고 성장하는 기회로
삼는다. 실패 원인 분석과 새로운 전략 수립을 통해 다시 도전한다.
'실패는 없다, 피드백만 있을 뿐이다.'

4장. 지속 가능한 변화

100일간 형성된 루틴을 유지하고 발전시켜간다.
또, 100일을 도전하며 지속적인 삶의 변화와 성장을 이루어간다.
긍정적인 변화를 자신의 삶 뿐만 아니라 주변까지 확장한다.

100일의 챌린지를 완주한 당신에게 축하를 전한다. 하지만 진정한 여정은 이제부터 시작이다. 목표 달성의 기쁨을 넘어, 깊이 있는 성찰과 미래를 향한 계획, 그리고 끊임없는 성장을 위한 발걸음을 함께 내디뎌 보자. 이 3부에 나의 온 진심을 담았다. 부디 이 글이 독자들에게 작은 도움이라도 되기를 간절히 바란다.

1장. 목표 달성 후의 성찰이다. 100일 동안의 경험을 곱씹으며, 성공과 실패의 순간들을 되돌아보고, 자신을 더 깊이 이해하는 시간이 왜 필요한지를 설명한다. 이를 통해 앞으로 나아갈 방향을 명확히 하고, 더 큰 성장을 위한 발판을 마련할 수 있다.

2장. 미래 계획 수립이다. 끊임없이 성장하고 발전하기 위해서는 미래에 대한 명확한 비전과 이를 실현하기 위한 구체적인 전략이 필요하다. 목표를 달성했다고 해서 안주해서는 안 된다. 꿈을 현실로 만들기 위한 계획 수립의 중요성을 강조하고, 더욱 단단하고 확고한 미래를 설계하는 방법을 제시한다. 챌린지를 통해 얻은 자신감을 바탕으로, 다음 목표를 계획하고 필요한 정보를 수집하는 단계를 구체적으로 설정할 수 있다.

3장은 실패 후, 재도전이다. 실패는 누구에게나 찾아올 수 있는 자연스러운 과정이다. 중요한 것은 실패를 두려워하지 않고, 이를 통해 배우고 성장하는 것이다. 실패를 새로운 시작의 기회로 삼아 다시 일어서는 용기를 얻고, 더욱 강인하고 지혜로운 자신을 만들어가는 방법을 제시한다. 목표에 실패했더라도, 실패 원인을 분석하고 새로운 전략을 세워 다시 도전할 수 있다.

4장. 지속 가능한 변화이다. 작은 변화들이 모여 큰 변화를 이루듯, 긍정적인 습관을 만들고 유지하는 것은 지속적인 성장의 핵심이다. 긍정적인 습관 형성을 위한 다양한 방법과 이를 통해 더 나은 자신을 만들어 가는 과정을 소개한다. 100일 동안 습관을 들였다면, 이를 계속 유지하면서 매일 새로운 목표를 설정하여 성취감을 느끼는 등 긍정적인 습관을 더욱 발전시킬 수 있다.

① 목표 달성 후의 성찰

100일 동안 쉼 없이 달려온 당신, 챌린지 목표를 달성한 것을 진심으로 축하한다. 하지만 진정한 챌린지는 이제부터 시작이다. 목표 달성의 기쁨을 만끽하는 동시에, 챌린지 과정을 깊이 있게 성찰하며 자신을 더 잘 이해하고, 앞으로 나아갈 방향을 설정하는 시간을 갖는 것은 더 큰 성장을 위한 발판이 될 것이다. 챌린지 완주 후 놓치기 쉬운 부분까지 꼼꼼하게 되돌아보고 앞으로의 삶에 긍정적인 변화를 가져올 수 있는 심층적인 자기 성찰 방법을 제시한다.

1. 챌린지의 모든 경험을 되새기며

• 목표 달성 과정

목표를 달성하기까지 걸어온 발자취를 하나하나 되짚어 보는 시간을 갖는다. 마치 영화를 다시 보듯, 구체적인 행동, 노력, 어려움, 극복 과정 등을 세세하게 기록하며 자신이 어떻게 변화하고 성장했는지 확인한다. 예를 들어, 매일 운동 챌린지를 성공적으로 마쳤다면, 운동 종류, 운동 시간, 운동 강도, 식단 변화 등을 기록하고, 어떤 어려움을 겪었으며 어떻게 극복했는지 상세히 기록한다.

- **가장 기억에 남는 순간**

  챌린지 기간 중 가장 기억에 남는 순간들을 떠올리며 감정을 되새긴다. 힘들었던 순간, 기뻤던 순간, 뿌듯했던 순간 등을 생생하게 떠올리며 챌린지의 의미를 되새기고, 감정적인 성장을 확인한다. 이를테면, 매일 글쓰기 챌린지 중 처음으로 칭찬 댓글을 받았을 때의 기쁨, 슬럼프를 극복하고 다시 글을 쓰기 시작했을 때의 뿌듯함 등을 기록하며 감정적인 변화를 살펴본다.

- **예상치 못한 발견**

  챌린지를 통해 예상치 못한 발견이나 깨달음을 얻었다면, 이를 놓치지 않고 기록하며 앞으로의 삶에 어떻게 적용할지 고민한다. 새로운 재능 발견, 뜻밖의 인연, 삶의 가치관 변화 등 예상치 못한 경험은 더 큰 성장의 발판이 될 수 있다. 예컨대, 그림 그리기 챌린지를 하면서 그림에 대한 재능을 발견했다면, 이를 계기로 그림 관련 수업을 듣거나 전시회를 방문하는 등 새로운 도전을 시도해 볼 수 있다.

2. 객관적인 시각으로 자신을 분석하기

- **강점 확인**

  챌린지를 통해 발휘된 자신의 강점을 다시 확인하고, 어떤 상황에서 이러한 강점이 빛을 발했는지 구체적인 사례를 통해 분석한다. 끈기, 집중력, 문제 해결 능력, 창의성 등 자신만의 강점을 파악하고, 앞으로 이를 어떻게 활용하여 더 큰 성과를 이룰 수 있을지 고민한다. 예를 들면, 100일 동안 매일 코딩 공부를 꾸준히 해왔다면, 이는 끈기와 집중력이라는 강점을 보여주는 것이다. 이러한 강점을 바탕으로 이제부터 더욱 어려운 프로젝트에 도전하거나, 코딩 관련 커뮤니티에 참여하여 다른 사람들과 교류하며 성장할 수 있다.

- **약점 인정**

  챌린지 중 드러난 자신의 약점을 솔직하게 인정하고, 개선 방안을 모색하는 것은 성장의 필수적인 과정이다. 시간 관리, 의지력, 습관 형성 등 부족한 부분을 파악하고, 이를 보완하기 위한 구체적인 계획을 세운다. 예컨대, 시간 관리에 어려움을 겪었다면, 시간 관리 앱을 사용하거나 중요한 일정을 먼저 처리하는 습관을 들이는 방법 등을 시도해 볼 수 있다.

- **성장 가능성**

  챌린지를 통해 자신의 잠재력을 확인하고, 앞으로 어떤 분야에서 더 성장하고 싶은지 고민하는 것은 미래를 위한 중요한 발걸음이다. 새로운 목표 설정, 역량 강화, 자기 계발 등 지속적인 성장을 위한 계획을 세우고, 이를 실천하기 위한 구체적인 방법들을 모색한다. 예를 들어, 챌린지를 통해 외국어 학습에 대한 흥미를 느꼈다면, 외국어 학원에 등록하거나 온라인 강의를 수강하는 등 구체적인 계획을 세우고 실천한다.

3. 긍정적인 변화를 유지하고 부정적인 영향은 최소화하기

- **긍정적인 변화**

챌린지가 삶에 가져온 긍정적인 변화를 구체적으로 나열하고, 이를 어떻게 유지하고 발전시켜 나갈지 고민한다. 건강 개선, 자신감 향상, 새로운 습관 형성, 인간관계 개선 등 챌린지를 통해 얻은 긍정적인 변화를 통해 삶의 만족도를 높이고, 이를 지속하기 위한 노력한다. 예컨대, 100일 동안 매일 명상을 하면서 스트레스 감소 효과를 경험했다면, 앞으로도 꾸준히 명상을 실천하여 스트레스 관리 능력을 향상하는 노력을 한다.

- **부정적인 영향**

챌린지로 인해 발생한 부정적인 영향이 있다면 솔직하게 인정하고, 개선 방안을 찾는 용기를 가져야 한다. 과도한 스트레스, 인간관계 소홀, 불규칙한 생활패턴 등 부정적인 영향을 최소화하고, 건강한 삶의 균형을 유지하기 위해 노력한다. 예컨대, 챌린지에 너무 집중한 나머지 가족이나 친구와의 관계가 소홀해졌다면, 앞으로는 챌린지와 함께 인간관계에도 시간과 노력을 투자하여 균형을 맞추는 노력을 한다.

- **가치관 변화**

챌린지를 통해 삶의 가치관이나 우선순위가 변화했는지 깊이 생각해 본다. 건강, 행복, 성장, 관계 등 자신에게 중요한 가치를 재정립하고, 이를 바탕으로 앞으로의 삶을 설계한다. 이를테면, 100일 동안 봉사활동 챌린지를 하면서 나눔의 중요성을 깨달았다면, 앞으로도 꾸준히 봉사활동에 참여하거나 기부하는 등 나눔을 실천하는 삶을 살아갈 수 있다.

4. 새로운 목표를 향해 나아가기

- **새로운 목표 설정**

챌린지 경험을 바탕으로 더 큰 목표에 도전하거나, 다른 분야의 챌린지를 시작하는 등 끊임없이 성장하는 동기를 부여한다. 예를 들어, 100일 동안 책 읽기 챌린지를 성공적으로 마쳤다면, 다음에는 독서 모임을 만들어 다른 사람들과 함께 책을 읽고 토론하는 새로운 목표를 설정할 수 있다.

- 습관 유지 및 발전

  챌린지 기간 동안 형성된 좋은 습관을 유지하고, 더욱 발전 시켜 나가는 노력을 멈추지 않는다. 규칙적인 운동, 독서, 명상 등 긍정적인 습관을 통해 건강하고 행복한 삶을 유지하고, 이러한 습관을 바탕으로 새로운 습관을 추가하여 긍정적인 변화를 이어 나간다.

- 지속적인 성장

  배움을 멈추지 않고 끊임없이 성장하는 자세를 유지한다. 새로운 지식과 기술을 습득하고, 자기 계발에 힘쓰며, 더 나은 자신으로 만들어 나간다. 100일 챌린지 완주는 결승선이 아니라, 더 넓은 세상으로 나아가는 출발선이라는 것을 기억한다.

5. 챌린지 경험 공유, 함께 성장하기

- 경험 공유

  챌린지 경험을 주변 사람들과 공유하며, 서로에게 영감과 동기 부여를 준다. 성공 경험뿐 아니라 실패 경험, 어려움을 극복했던 과정 등을 솔직하게 나누면서 서로에게 힘이 되어 준다. 예를 들면, 블로그나 소셜 미디어에 챌린지 후기를 공유하거나, 친구들과의 모임에서 챌린지 경험을 이야기하며 서로에게 긍정적인 에너지를 전달한다.

- **함께 성장**

  챌린지 경험을 바탕으로 주변 사람들과 함께 성장할 방법을 모색한다. 스터디 그룹, 운동 모임, 독서 모임 등을 만들어 함께 목표를 향해 나아가거나, 멘토링 프로그램에 참여하여 자신의 경험을 나누고 다른 사람들의 성장을 돕는다.

- **긍정적인 영향력**

  챌린지를 통해 얻은 긍정적인 에너지와 성장을 바탕으로 주변에 긍정적인 영향력을 전파한다. 격려와 응원, 칭찬과 감사를 아끼지 않고, 다른 사람들의 성장을 지지하며 함께 발전해 나간다.

100일 챌린지 완주는 단순히 개인적인 성취를 넘어, 더 나은 자신, 더 나은 세상을 만들어 나가는 첫걸음이다. 챌린지 경험을 통해 얻은 통찰과 성장을 바탕으로 끊임없이 배우고 발전하며, 주변 사람들과 함께 성장하는 기쁨을 누린다. 100일 챌린지를 완주한 당신의 앞날에 무궁무진한 가능성과 행복이 가득해지길 응원한다.

2

미래 계획 수립

100일 챌린지는 단순히 목표를 달성하는 것을 넘어, 꾸준함과 성장의 경험을 통해 미래 계획 수립에 중요한 통찰력을 제공한다. 챌린지 경험을 분석하고 강점과 약점을 파악하여 미래 목표 설정 및 실행 계획 수립에 활용하는 방법을 제시한다.

1. 100일 챌린지 회고

- **챌린지 목표 및 성과**

  챌린지 목표를 다시 확인하고, 달성 여부와 상관없이 어떤 성과를 얻었는지 구체적으로 작성한다. 예를 들어, '매일 30분 운동하기' 목표를 80% 달성했지만, 체력 증진과 건강한 습관 형성에 성공했다.

- **성공 요인 분석**

  목표 달성에 도움이 된 요인들을 분석한다. 구체적인 계획 수립, 주변 지지, 동기 부여 자료 활용 등이다.

- **어려움 및 개선점**

  챌린지 중 겪었던 어려움과 극복 과정을 되돌아보고, 앞으로 개선할 부분을 파악한다. 시간 관리 어려움, 의지 부족 등을 되짚어 본다.

- **변화와 성장**

  챌린지를 통해 얻은 경험이 나에게 어떤 변화를 가져왔는지, 어떤 면에서 성장했는지 구체적으로 기술한다. 자신감 향상, 새로운 기술 습득, 문제 해결 능력 향상 등으로 구분하여 기술한다.

2. 강점과 약점 파악

- **강점 발견**

  챌린지 경험을 통해 발견한 자신의 강점을 나열한다. 예를 들어, 끈기, 계획성, 실행력, 적응력, 자기 관리 능력 등이다.

- **약점 인지**

  챌린지 중 드러난 약점을 솔직하게 인정하고, 개선 방향을 모색한다. 의지력 부족, 완벽주의 성향, 외부 요인에 흔들림 등이다.

- 강점 활용 및 약점 보완 계획

  미래 목표 달성에 강점을 어떻게 활용하고, 약점을 어떻게 보완할지 구체적인 계획을 세운다. 예를 들면, 강점을 살려 새로운 프로젝트 주도, 약점 극복을 위한 교육 프로그램 참여 등이 될 수 있다.

3. 미래 목표 설정

- 장기 목표 설정

  100일 챌린지 경험을 바탕으로 1년, 3년, 5년 후의 장기 목표를 설정한다. 1년 후 마라톤 완주, 3년 후 관련 분야 전문가 되기 등이다.

- 단기 목표 설정

  장기 목표 달성을 위한 단기 목표를 구체적으로 설정한다. 매주 5km 달리기, 관련 분야 온라인 강의 수강 등이다. 3개월 단위를 단기 목표로 추천한다.

- 목표 구체화

  SMART 원칙 (Specific, Measurable, Achievable, Relevant, Time-bound)에 따라 목표를 구체화한다. 예를 들어, 6개월 안에 파이썬 프로그래밍 자격증 취득한다.

4. 실행 계획 수립

• **세부 계획 수립**

목표 달성을 위한 구체적인 단계와 세부 계획을 수립한다.
예로 학습 계획표 작성, 스터디 그룹 참여, 전문가 조언 구
하기 등이다.

• **자원 확보**

목표 달성에 필요한 자원 (시간, 예산, 정보, 도움 등)을 파
악하고 확보한다. 예를 들면, 관련 서적 구입, 온라인 강의
수강, 멘토 찾기 등이다.

• **실행 및 평가**

계획을 실행하고, 주기적으로 진행 상황을 평가하며 필요에
따라 계획을 수정한다. 매주 학습량 점검, 월별 목표 달성도
평가 등이 예가 된다.

5. 지속적인 성장

- **새로운 챌린지 도전**

  100일 챌린지 경험을 바탕으로 새로운 분야에 도전하고, 꾸준히 성장하는 습관을 유지한다. 예로 독서 챌린지, 외국어 학습 챌린지 등

- **학습과 성장**

  목표 달성에 필요한 지식과 기술을 꾸준히 학습하고, 자기계발에 힘쓴다. 예로 관련 분야 워크숍 참여, 전문가 네트워킹 등

- **변화에 대한 적응력**

  예상치 못한 상황에 유연하게 대처하고, 변화에 적응하는 능력을 기운다. 플랜 B를 마련하기, 문제 해결 능력 향상 등이다.

100일 챌린지 경험은 미래를 위한 소중한 자산이다. 이 방법을 통해 경험을 분석하고, 강점을 활용하며 미래 계획을 성공적으로 수립하여 원하는 목표를 달성하길 바란다.

3

실패 후, 재도전

100일 챌린지에 실패했다고 낙담하거나 자책하지 않아야 한다. 실패는 누구에게나 찾아올 수 있는 자연스러운 과정이며, 오히려 성공으로 가는 값진 디딤돌이 될 수 있다. 중요한 것은 실패를 통해 배우고 성장하며, 다시 시작할 용기를 갖는 것이다. 실패 원인을 면밀히 분석하고 새로운 마음가짐으로 무장하여 목표를 향해 다시 나아가는 방법을 제시한다.

1. 실패 원인을 객관적인 시각으로 되돌아보기

- **현실적인 목표 설정**

  실패의 원인을 파악하기 위해 가장 먼저, 설정했던 목표가 자신에게 너무 높거나 비현실적이지는 않는지 냉철하게 되돌아본다. 예를 들어, 운동을 처음 시작하는 사람이 매일 2시간씩 꾸준히 운동하는 목표를 세웠다면, 이는 체력적인 한계와 시간적인 제약으로 인해 지속하기 어려울 수 있다.

이러면 목표를 '매일 30분 걷기' 또는 '주 3회 1시간 운동하기'와 같이 현실적인 수준으로 조정하는 것이 바람직하다.

- **구체적인 계획 부족**

  목표 달성을 위한 계획이 구체적이지 않거나, 실행 가능성이 작았다면 실패할 확률이 높아진다. 예를 들어, '건강하게 먹기'라는 목표는 모호하고 추상적이기 때문에 실천하기 어렵다. 대신, '매일 채소 3종류 이상 섭취하기', '일주일에 한 번은 가공식품 먹지 않기'와 같이 구체적인 행동 지침을 포함하는 계획을 세우는 것이 좋다.

- **시간 관리 어려움**

  챌린지에 필요한 시간을 충분히 확보하지 못했거나, 시간 관리에 어려움을 겪었다면 목표 달성에 차질이 생길 수 있다. 예를 들어, 퇴근 후 피곤한 상태에서 챌린지를 수행하기 어려웠다면, 아침 시간이나 점심시간 등 다른 시간대로 옮겨 실천하는 것이 효과적일 수 있다. 또한, 시간 관리 앱이나 플래너를 활용하여 체계적으로 시간을 관리하는 것도 도움이 된다.

- **의지 부족**

  의지가 부족하거나, 외부 유혹에 쉽게 흔들리는 성향이라면 챌린지를 지속하기 어려울 수 있다. 예를 들어, 스마트폰 사용 시간이 길어져 챌린지에 집중하지 못했다면, 스마트폰 사용 시간을 제한하는 앱을 설치하거나, 챌린지 시간에는 스마트폰을 멀리하는 등의 방법으로 유혹을 차단하는 것이 좋다.

- **예상치 못한 상황**

  예상치 못한 상황으로 인해 챌린지를 중단하게 되는 경우도 있다. 갑작스러운 출장이나 질병, 가족 문제 등 예상치 못한 상황은 누구에게나 발생할 수 있으며, 이러면 챌린지가 중단될 수 있다. 이러한 경우, 상황에 맞춰 챌린지를 조정하거나, 상황이 나아진 후 다시 시작하는 유연성을 발휘하는 것이 중요하다.

2. 긍정적인 에너지로 가득 채운 마음가짐

- **실패는 배움의 기회**

  실패를 부정적인 경험으로 받아들이기보다는, 더 나은 미래를 위한 값진 배움의 기회로 삼는다. 실패를 통해 자신을 되돌아보고, 부족했던 점을 개선하여 다음 챌린지에서는 더욱 발전된 모습을 보여줄 수 있다.

- **긍정적인 태도**

  긍정적인 마음가짐은 재도전에 가장 중요한 요소이다. '나는 할 수 있다'는 긍정적인 자기 암시를 통해 자신감을 북돋고,

실패에 대한 두려움을 극복하는 것이 중요하다. 또한, 주변 사람들의 격려와 응원을 통해 긍정적인 에너지를 얻는 것도 도움이 된다.

- **자신감 회복**

  실패 경험으로 인해 떨어진 자신감을 회복하는 것은 재도전에 필수적이다. 과거에 성공했던 경험을 떠올리며 자신감을 되찾고, 주변 사람들의 격려를 통해 용기를 얻는다. 또한, 작은 목표를 설정하여 성공 경험을 쌓아 나가면서 자신감을 회복하는 것도 좋은 방법이다.

- **목표 재설정**

  실패 원인 분석 결과를 바탕으로, 필요하다면 목표를 수정하거나 더 작은 목표로 나누어 시작한다. 처음부터 너무 높은 목표를 설정하면 부담감을 느끼고 쉽게 포기할 수 있으므로, 작은 성공 경험을 통해 자신감을 얻는 것이 중요하다.

- **지원 시스템 구축**

  혼자 챌린지를 수행하는 것보다 가족, 친구, 동료 등 주변 사람들의 지지를 얻는 것이 훨씬 효과적이다. 챌린지 목표를 주변 사람들에게 공유하고, 응원과 격려를 받으면서 함께 챌린지를 수행하면 성공 확률을 높일 수 있다. 또한, 온라인 챌린지 커뮤니티에 참여하여 다른 사람들과 함께 목표를 향해 나아가는 것도 좋은 방법이다.

3. 성공적인 챌린지 재도전하기

- **구체적인 계획 수립**

  목표 달성을 위한 구체적이고 실행 가능한 계획을 세운다. 계획은 SMART 원칙 (Specific, Measurable, Achievable, Relevant, Time-bound)에 따라 구체적이고, 측정이 가능하며, 달성이 가능하고, 관련성 있고, 시간 제한적인 목표로 설정한다. 예를 들어, '체중 감량'이라는 목표를 '3개월 안에 5kg 감량하기'와 같이 구체화하고, 이를 달성하기 위한 세부적인 계획을 세우는 것이 좋다.

- **실행 가능한 단계**

  목표를 작은 단계로 나누어 실천한다. 한 번에 너무 많은 것을 시도하면 부담감을 느끼고 쉽게 포기할 수 있으므로, 작은 목표들을 하나씩 달성해 나가면서 자신감을 얻는 것이 중요하다. 예를 들어, 마라톤 완주를 목표로 한다면, 처음에는 3km, 5km, 10km 등 점진적으로 거리를 늘려나가는 계획을 세울 수 있다.

- **주기적인 점검 및 평가**

  챌린지 진행 상황을 주기적으로 점검하고 평가하며, 필요에 따라 계획을 수정한다. 매주 또는 매달 챌린지 진행 상황을 기록하고, 목표 달성도를 평가하여 부족한 부분을 보완하고 개선해 나가는 것이 중요하다.

- **보상 시스템 활용**

  챌린지 목표를 달성했을 때 스스로에게 보상을 해주는 시스템을 만든다. 작은 보상이라도 꾸준히 실천하면 동기 부여에 도움이 되며, 챌린지를 지속하는 데 큰 힘이 될 수 있다. 예를 들어, 매주 목표를 달성할 때마다 좋아하는 음식을 먹거나, 영화를 보는 등 자신에게 맞는 보상을 설정한다.

- **포기하지 않는 마음**

  어려움에 직면하더라도 포기하지 않고 꾸준히 노력하는 것이 가장 중요하다. 챌린지 과정에서 어려움은 당연히 발생할 수 있으며, 이는 누구에게나 똑같이 적용되는 것이다. 중요한 것은 어려움에 굴하지 않고, 긍정적인 마음가짐으로 꾸준히 노력하여 목표를 향해 나아가는 것이다.

100일 챌린지는 단순한 도전이 아니라, 자신과의 약속이며 성장의 기회이다. 실패를 두려워하지 말고, 다시 시작할 용기를 갖고 꾸준히 노력하면 반드시 목표를 달성할 수 있다. 긍정적인 마음가짐과 구체적인 계획, 그리고 꾸준한 노력으로 100일 챌린지 재도전에 성공하길 응원한다.

기억하라, 100일 챌린지의 실패는 더 큰 성장을 위한 발판이 될 수 있다. 좌절하지 않고 다시 일어나 꾸준히 노력하는 당신의 모습은 이미 충분히 아름답다. 지금까지 쌓아온 경험과 교훈을 바탕으로 더욱 단단해진 당신은 반드시 목표를 달성할 수 있을 것이다.

④

지속 가능한 변화

100일 챌린지의 완주는 단지 시작일 뿐, 진정한 변화는 이제부터 시작이다. 챌린지 동안 얻은 소중한 경험과 습관을 바탕으로 지속 가능한 성장을 이루고 긍정적인 변화를 자기 삶뿐 아니라 주변까지 확장하는 방법을 제시한다.

1. 꾸준함의 미학

• **습관화된 루틴 유지**

챌린지 동안 힘겹게 만들어 온 루틴을 소중히 여기고, 이를 지속하며 새로운 습관을 일상에 자연스럽게 녹여낸다. 예를 들어, 매일 아침 30분 독서 습관을 유지하며, 추가로 명상이나 스트레칭을 추가하여 심신의 건강을 함께 돌본다. 주 3회 운동 습관에 요가나 필라테스를 추가하여 몸의 유연성과 균형 감각을 향상하는 것도 좋은 방법이다.

• **목표의 진화**

챌린지 목표를 성공적으로 달성했다면, 이에 안주하지 않고 더욱 발전된 목표를 설정하여 끊임없이 성장하는 동기를 가져야 한다. 마라톤 완주라는 쾌거를 이루었다면, 이제는 철인 3종 경기라는 새로운 도전에 나서거나, 더욱 짧은 시간 안에 마라톤을 완주하는 목표를 세울 수 있다. 그림 그리기 챌린지를 성공적으로 마쳤다면, 개인 전시회를 열거나 작품 판매를 목표로 삼는 등, 끊임없이 자신을 발전시켜야 한다.

• 동기 부여의 원천

챌린지 기간 동안 활용했던 동기 부여 방법들을 잊지 않고 지속적으로 활용하는 동시에, 새로운 자극을 찾아 열정을 유지해야 한다. 예를 들어, 성공 스토리 공유 커뮤니티에 참여하여 다른 사람들의 경험을 통해 영감을 얻거나, 롤 모델을 찾아 그들의 삶을 벤치마킹하며 동기 부여를 얻을 수 있다. 또한, 챌린지 관련 책을 읽거나 강연을 듣는 것도 좋은 방법이다.

2. 성장 마인드셋 함양

- **배움의 즐거움**

  끊임없이 배우고 성장하는 자세를 유지하며, 새로운 지식과 기술을 습득하는 즐거움을 느낀다. 관련 분야의 온라인 강의를 수강하거나 전문 서적을 읽으며 지적 호기심을 충족하고, 챌린지 분야와 관련된 워크숍이나 세미나에 참여하여 실질적인 경험을 쌓는 것도 좋은 방법이다.

- **실패를 통한 성장**

  실패를 두려워하지 않고, 오히려 실패를 통해 배우고 성장하는 기회로 삼는 긍정적인 태도를 가진다. 실패 원인을 객관적으로 분석하고, 개선 방안을 마련하여 다음 도전에 더욱 발전된 모습으로 임한다. 실패를 통해 얻은 교훈은 성공보다 더욱 값진 경험이 될 수 있다.

- **긍정적인 마음가짐의 힘**

  긍정적인 마음가짐으로 어려움을 극복하고, 긍정적인 에너지를 주변에 전파한다. 감사 일기를 쓰면서 매일 감사한 일들을 되새기거나, 긍정적인 문구를 활용하여 자신감을 북돋는 것은 긍정적인 태도를 유지하는 데 도움이 된다. 또한, 긍정적인 사람들과 교류하며 서로에게 힘이 되어주는 것도 중요하다.

3. 건강한 삶의 균형 추구

• **규칙적인 생활 패턴**

규칙적인 수면, 식사, 운동 습관을 유지하며 건강한 삶의 균형을 이룬다. 매일 7시간 이상 충분히 자고, 균형 잡힌 식단을 통해 영양을 골고루 섭취한다. 또한, 규칙적인 운동을 통해 체력을 증진하고 스트레스를 해소한다.

• **스트레스 관리의 중요성**

스트레스는 만병의 근원이므로, 효과적으로 관리하고, 휴식과 여가 활동을 통해 재충전하는 시간을 가진다. 명상이나 요가를 통해 심신의 안정을 찾거나, 좋아하는 취미 활동을 즐기며 스트레스를 해소하는 것이 좋다. 또한, 충분한 휴식을 취하고, 자연 속에서 시간을 보내는 것도 스트레스 해소에 도움이 된다.

• **사회적 관계의 가치**

가족, 친구, 동료와의 관계를 소중히 여기고, 사회적 지지를 통해 어려움을 극복하는 힘을 얻는다. 정기적인 모임을 통해 서로의 안부를 묻고, 힘든 일이 있을 때는 서로에게 힘이 되어주는 것이 중요하다. 또한, 새로운 사람들과의 만남을 통해 인맥을 넓히고 다양한 경험을 공유하는 것도 좋다.

4. 사회적 책임 실천

- **재능 기부의 기쁨**

  챌린지를 통해 얻은 경험과 지식을 바탕으로 재능 기부 활동에 참여하여 사회에 기여하는 기쁨을 누린다. 예를 들어, 멘토링 프로그램에 참여하여 자기 경험을 나누거나, 교육 봉사 활동을 통해 지식을 전달하는 것은 사회에 긍정적인 영향을 미치는 좋은 방법이다.

- **환경 보호의 중요성**

  환경 문제에 관심을 두고, 일상생활에서 환경 보호를 실천하는 것은 우리 모두의 책임이다. 일회용품 사용을 줄이고, 환경친화적인 생활 습관을 실천한다. 또한, 에너지 절약을 위해 전기 플러그를 뽑거나, 물을 아껴 쓰는 등 작은 노력이 모여 큰 변화를 만들 수 있다.

- **공동체 참여의 가치**

  지역 사회 활동에 적극적으로 참여하여 공동체 발전에 기여하는 것은 사회 구성원으로서의 중요한 역할이다. 봉사 활동에 참여하거나, 지역 행사에 참여하여 지역 주민들과 소통하고 교류하는 것은 공동체 의식을 함양하고, 사회에 긍정적인 영향을 미치는 좋은 방법이다.

5. 지속적인 성장 추구

- **새로운 목표 설정의 중요성**

  끊임없이 새로운 목표를 설정하고 도전하며, 안주하지 않고 발전하는 자세를 가진다. 새로운 취미를 시작하거나, 자격증 취득을 목표로 삼는 등 끊임없이 자신을 발전시켜 나가는 노력이 필요하다.

- **변화에 대한 적응력 강화**

  급변하는 사회에 적응하기 위해 새로운 트렌드와 기술에 관심을 가지고 습득하며, 유연한 사고를 유지한다. 온라인 학습 플랫폼을 활용하여 새로운 지식을 습득하거나, 트렌드 분석 자료를 참고하여 사회 변화에 발 빠르게 대응하는 능력을 키운다.

- **자기 성찰의 시간**

  꾸준히 자신을 돌아보고, 강점과 약점을 파악하여 발전 방향을 모색하는 시간을 가진다. 자기 성찰 일기를 쓰거나, 전문가와의 상담을 통해 자신의 내면을 탐구하고, 더 나은 자신으로 성장하기 위해 노력한다.

100일 챌린지는 끝이 아닌 새로운 시작이다. 챌린지 경험을 통해 얻은 값진 교훈과 성장을 발판 삼아 자신만의 성공 스토리를 만들어 나가는 멋진 여정을 펼치길 바란다.

단, 100일의 루틴이 만든 인생의 전환점

이 책을 마치며, 나는 여러분에게 단 하나의 메시지를 전하고자 한다. 변화는 결코 쉬운 일이 아니다. 100일 동안의 여정은 결코 단순하지 않다. 그러나 **그 과정에서 우리는 진정한 자기 자신을 발견하고, 목표를 향해 나아가는 방법을 배우게 된다.** 이 책은 그 여정을 함께하기 위한 지침서이다.

나는 여러분이 이 책을 통해 자신감을 얻고, 자신의 목표를 향해 꾸준히 나아가기를 바란다. 지금 잘하고 있는 사람들을 응원하며, 그들의 노력이 결실을 보기를 진심으로 바란다. 여러분의 100일 챌린지가 끝나더라도, 새로운 목표를 설정하고, 꾸준히 나아가기를 바란다. 그리고 여러분의 여정이 항상 의미 있고, 보람찬 길이 되기를 진심으로 기원한다.

나는 앞으로도 계속해서 삶의 변화와 성장을 위한 책을 쓰고, 강의하고, 신념을 삶 속에 실천하며 살아갈 것이다. 삶의 변화와 성장은 멈추지 않고 계속되어야 한다.

감사합니다.
이현주

| 참고문헌 |

- Bandura, A. (1977). Self-Efficacy: Toward a Unifying Theory of Behavioral Change. Psychological Review, 84(2), 191–215.
- Bandura, A. (1977). Social Learning Theory. Englewood Cliffs, NJ: Prentice-Hall.
- Bandura, A. (1997). Self-Efficacy: The Exercise of Control. New York: W.H. Freeman.
- Baumeister, R. F., Vohs, K. D., & Tice, D. M. (2007). The Strength Model of Self-Control. Current Directions in Psychological Science, 16(6), 351–355.
- Deci, E. L., Koestner, R., & Ryan, R. M. (1999). A Meta-Analytic Review of Experiments Examining the Effects of Extrinsic Rewards on Intrinsic Motivation. Psychological Bulletin, 125(6), 627–668.
- Duhigg, C. (2012). The Power of Habit: Why We Do What We Do in Life and Business. New York: Random House.
- Hattie, J., & Timperley, H. (2007). The Power of Feedback. Review of Educational Research, 77(1), 81–112.
- Klein, H. J., Wesson, M. J., Hollenbeck, J. R., & Alge, B. J. (1999). Goal Commitment and the Goal-Setting Process: Conceptual Clarification and Empirical Synthesis. Journal of Applied Psychology, 84(6), 885–896.
- Lally, P., Van Jaarsveld, C. H. M., Potts, H. W. W., & Wardle, J. (2010). How are habits formed: Modelling habit formation in the real world. European Journal of Social Psychology, 40(6), 998–1009.
- Locke, E. A., & Latham, G. P. (1990). A Theory of Goal Setting and Task Performance.
- Locke, E. A., & Latham, G. P. (2002). Building a Practically Useful Theory of Goal Setting and Task Motivation: A 35-Year Odyssey. American Psychologist, 57(9), 705–717.
- Mischel, W., Shoda, Y., & Rodriguez, M. L. (1989). Delay of Gratification in Children. Science, 244(4907), 933–938.
- Neal, D. T., Wood, W., & Quinn, J. M. (2006). Habits—A repeat performance. Current Directions in Psychological Science, 15(4), 198–202.
- Pajares, F. (1996). Self-Efficacy Beliefs in Academic Settings. Review of Educational Research, 66(4), 543–578.
- Prochaska, J. O., & DiClemente, C. C. (1983). Stages and Processes of Self-Change of Smoking: Toward An Integrative Model of Change. Journal of Consulting and Clinical Psychology, 51(3), 390–395.
- Prochaska, J. O., & Velicer, W. F. (1997). The Transtheoretical Model of Health Behavior Change. American Journal of Health Promotion, 12(1),

38-48.

- Spencer, L., Adams, T. B., Malone, S., Roy, L., & Yost, E. (2006). Applying the Transtheoretical Model to Exercise: A Systematic and Comprehensive Review of the Literature. Health Promotion Practice, 7(4), 428-443.
- Tangney, J. P., Baumeister, R. F., & Boone, A. L. (2004). High Self-Control Predicts Good Adjustment, Less Pathology, Better Grades, and Interpersonal Success. Journal of Personality, 72(2), 271-324.